CB063080

Copyright © 2018 by Mariangela Assad Simão
Todos os direitos reservados para Pólen Livros.

Grafia atualizada segundo o Acordo Ortográfico da Língua Portuguesa de 1990, que entrou em vigor no Brasil em 2009.

PRODUÇÃO EDITORIAL

COORDENAÇÃO EDITORIAL
Lizandra M. Almeida

CAPA
Luciana Cury

DIAGRAMAÇÃO
equipe Pólen Livros

PREPARAÇÃO DE TEXTO
Luana Balthazar

REVISÃO DE PROVAS
equipe Pólen Livros

PRODUÇÃO BADI ASSAD

FOTOGRAFIAS CAPA E CONTRACAPA
Edu Pimenta

ASSISTENTE DE FOTOGRAFIA
Bruno Marinho

BELEZA
Letícia Carvalho

ACESSÓRIOS
Pepeyoyo Jewlery

PRODUÇÃO
Mariana Campos e Nancy Silva / BenzaDeus Produtora

ASSESSORIA DE COMUNICAÇÃO
Tatiana Pugliesi: Cais Cultural

Dados Internacionais de Catalogação na Publicação (CIP)
Angélica Ilacqua CRB-8/7057

Assad, Badi
    Volta ao mundo em 80 artistas / Badi Assad. -- São Paulo : Pólen, 2018.
    232 p.

    ISBN 978-85-98349-52-7

    1. Músicos – Biografia 2. Artistas – Biografia 3. Assad, Badi, 1960- autobiografia I. Título

18-0208   CDD 927

Índices para catálogo sistemático:

1. Mulheres musicistas - Autobiografia

Pólen

11 3675-6077
www.polenlivros.com.br

CONTATO BADI ASSAD
Nancy Silva
nancy@benzadeusprodutora.com.br
http://badiassad.com/pt/
Tatiana Pugliesi .: Cais Cultural
http://www.cais.art.br/
tati@cais.art.br

volta ao mundo
em 80 artistas
badi assad

Pólen

agradecimentos

Melissa Lenz, por ter confiado em mim quando me convidou para ser colunista da *TOPMagazine*;

Chico César, meu parceiro em todas e tantas situações;

Sergio Samartzis e Maria Charalabaki, artistas gregos maravilhosos que fizeram o anel-mundo que se funde ao meu olhar nesta capa;

Pedro, Manu, Daniela e Telmo, família querida e amigos de sempre que emprestaram o globo que ilustra a contracapa, assim como o gramofone que o incrível Edu Pimenta usou para ilustrar um ouvir ampliado nas fotos de divulgação;

Ao designer Marco Barboza (Krixina) e a Viviane Almeida (Vivi pelo mundo) pelas roupas e acessórios usados nas fotos de divulgação;

Minha família, por sempre acreditar em mim, e todos os artistas, por serem essa eterna fonte inspiradora.

sumário

PREFÁCIO, por Chico César — 09
APRESENTAÇÃO — 11

ÁFRICA

Amina Annabi (Tunísia) — 17
Angelique Kidjo (Benin) — 20
Emmanuel Jal (Sudão do Sul) — 23
Geoffrey Oryema (Uganda) — 26
Miriam Makeba (África do Sul) — 29
Richard Bona (Camarões) — 33
Youssou N'Dour (Senegal) — 35
Zap Mama (Bélgica/Congo) — 37

AMÉRICAS

Ani DiFranco (EUA) — 43
Astor Piazzolla (Argentina) — 46
Bobby McFerrin (EUA) — 49
Bola de Nieve (Cuba) — 51
Calypso Rose (Trinidad e Tobago) — 53
Camila Moreno (Chile) — 56
Jake Shimabukuro (EUA) — 59
Jorge Drexler (Uruguai) — 61
Larry Coryell (EUA) — 63
Lila Downs (México) — 67
Roy Rogers (EUA) — 69
Sarah McLachlan (Canadá) — 72
Tori Amos (EUA) — 75
Yma Sumac (Peru) — 78

ÁSIA E OCEANIA

Anoushka Shankar (Índia/Inglaterra) — 85
David Broza (Israel) — 87
Gilli Moon (Austrália) — 90
Homayoun Shajarian e Sohrab Pournazeri (Irã) — 94
Huun-Huur-Tu (Rússia) — 96
Kodo (Japão) — 99
Lorde (Nova Zelândia) — 101
Nusrat Fateh Ali Khan (Paquistão) — 103
Tommy Emmanuel (Austrália) — 105
Urna (Mongólia) — 108
Yo-yo Ma (China/França) — 110
Zee Avi (Malásia) — 112

EUROPA

Alt-J (Inglaterra) — 117
Anna Maria Jopek (Polônia) — 120
Aziza Mustafa Zadeh (Azerbaijão) — 123
Björk (Islândia) — 124
Camille Dalmais (França) — 126
Cristina Pato (Espanha) — 128
David Garrett (Alemanha) — 132
Ed Sheeran (Irlanda) — 134
Evelyn Glennie (Escócia) — 136
Hozier (Irlanda) — 140

Jamie Cullum (Inglaterra)	143	Hermeto Pascoal (AL)	187
Mari Boine (Noruega)	145	Inezita Barroso (SP)	189
Mariza (Portugal)	146	Lenine (PE)	192
Mumford & Sons (Inglaterra)	149	Liniker (SP)	195
Paco de Lucía (Espanha)	151	Luhli & Lucina (RJ)	198
Sting (Inglaterra)	155	Marina Lima (RJ)	200
		Marisa Monte (RJ)	202
BRASIL		Marlui Miranda (CE)	204
As doces bárbaras – Maria Bethânia e Gal Costa (BA)	161	Naná Vasconcelos (PE)	206
		Ney Matogrosso (MS)	209
Barbatuques (SP)	164	Paulinho Moska (RJ)	211
Carlinhos Antunes (SP)	167	PianOrquestra (RJ)	213
Ceumar (MG)	169	Seu Jorge (RJ)	215
Chico Buarque de Holanda (RJ)	170	Toquinho (SP)	217
Chico César (PB)	173	Uakti (MG)	221
Egberto Gismonti (RJ)	175	Yamandu Costa (RS)	224
Elza Soares (RJ)	177	Zeca Baleiro (MA)	225
Família Assad (SP)	179	Zélia Duncan (RJ)	227
Fernanda Takai (AP/MG)	183	Zizi Possi (SP)	230
Filipe Catto (RS)	185		

Badi Assad preparou para os leitores uma playlist com sua "Volta ao mundo em 80 artistas". Confira no Spotify e no YouTube:

PREFÁCIO

Não é sobre música, músicos ou musicistas esta volta ao mundo para a qual nos convida Badi Assad. É sobre a vida, ela mesma múltipla e diversa experiência. Quem nos conta, nos leva e conduz é excelente violonista e cantautora, além de intérprete inventiva, cheia de telecotecos e silvos no corpo-espaço percutido, atravessado de sons, intuições e sentidos. Seu olhar cheio de afeto e alteridade nos faz vislumbrar a humanidade dos artistas sobre os quais escreve, como se assim fizesse uma ode ao amor pelo ser humano e pelo que levou esses homens e mulheres de tão diferentes partes do globo a se traduzirem e se expressarem em música.

O coração cordato e compassivo de Badi vibra e une o mundo e as músicas do mundo numa só. E, pela sua escritura de bem-querer, o que a oiças separatistas soaria como cacofonia, aqui se apresenta como *anima mundi*, alma do mundo feito som. Soando inclusiva, murmurando arengas da Mãe Terra, dengos polifônicos. Talvez só mesmo uma mulher latino-americana, legítima representante da Pacha Mama, para trazer com tanta firmeza e ternura essa cosmovisão despida de hierarquias de mercado ou de rótulos incapazes de dar conta da complexidade da música – e da vida.

Assim descritos, cada um é singelo. Todos somos. Soamos. Cada som é importante para a complexa sinfonia da existência. São sopros da vida sempre a se reinventar. Somos. É generosa a escrita de Badi pois é generosa sua escuta, feiticeira a ouvir seus pares. Seu tempo, nosso. E, felizmente, de muitas mulheres como ela que o tempo não conseguiu silenciar. E não conseguirá, pois a vida mesmo é feminina, a música é mulher. O som é fêmeo na explosão de gêiseres, vulcões, cacimbas, fontes, cachoeiras, gozos a jorrar dos seres todos do mundo.

Chico César, cantautor

apresentação

Antes mesmo de iniciar minha carreira, o destino parece ter se incumbido de infiltrar em mim asas para cruzar oceanos, como aqueles pássaros que migram para procriar no verão.

Não tinha chegado aos meus vinte anos ainda, mas já tinha profissão definida. O primeiro show remunerado da minha vida aconteceu em terras longínquas, Israel, onde tive a oportunidade de sentir de perto a vida num kibutz e, mal entendendo as diferenças históricas, encostei também minha cabeça no Muro das Lamentações.

Depois dessa primeira viagem, já perdi a conta de quantas outras me levaram a pulsar pelas veias de inúmeras culturas distintas, com toda a maravilha e profundidade de suas obras musicais.

Ainda não realizei o desejo de colocar alfinetes coloridos para povoar um globo azulado em cima de um móvel no canto de casa, mas tenho certeza de que seriam muitos, cada alfinete representando um lugar para onde levei minha arte. Sim, mal me recordo das vezes que viajei sem carregar comigo um violão. Nesta jornada tem muita história que vivi sozinha, por me apresentar essencialmente solo, mas tem também muitas acompanhada de talentos que enriqueceram meu caminhar.

Já ouvi de uma finlandesa cega que, pela voz de um intérprete, me disse ter sido o meu o melhor show de sua vida; já tive pessoas viajando de muito longe para experimentar minhas apresentações ao vivo; já recebi inúmeras declarações de que minha música contribuiu para momentos difíceis de suas vidas ou ainda que servi de inspiração em momentos de profundo amor.

A vida me deu tantos presentes!

Agradeço imensamente a oportunidade de fazer o que faço com a profundidade e dedicação a que me proponho. Música para mim não é algo externo, música está em minha essência. Ela não me define, mas é certamente grande parte de minha definição.

E veio então este novo capítulo, destinado à escrita. Começou, na verdade, como um convite da querida Melissa Lenz (editora da *TOP Magazine*) para colaborar com o blog da revista que estrearia. Seria uma coluna semanal para falar de música, com total liberdade de escolha dos artistas. Como gosto de desafios, aceitei. Escrevi durante um ano inteiro.

Em seguida, me convidaram para ser a colunista oficial da revista impressa e não seriam mais artistas de minha escolha, mas deles. Artistas que, de certa forma, não pertenceriam necessariamente ao meu universo emocional. Novamente, aceitei. Somomos então mais um ano à escrita. Quando percebi, havia material suficiente para compor um livro. A ideia da volta ao mundo ocorreu em um sonho, quando o próprio Júlio Verne apareceu no meu camarim. Arrisquei, e a Lizandra, da Pólen, se entusiasmou. Vamos germinar!

Escolhi, portanto, os mais importantes nomes de minha relação e dediquei-me para chegar aos 80. Todavia, optei por manter alguns da lista dos escritos especialmente para a revista, pois também neles encontrei um olhar que me animou. Ou seja, todos me influenciaram de alguma forma, direta ou indiretamente. Na verdade, não são os únicos, mas são esses os que realmente fizeram parte da construção de minha identidade musical. Alguns tive o privilégio de conhecer pessoalmente, outros sorvi nutrientes imprescindíveis para a elaboração de minha música, que acaba sendo um amálgama disso tudo.

Minha volta ao mundo em 80 artistas é um olhar subjetivo e apaixonado por essas influências e, através delas, compartilho partes de minha própria história. Espero que sirvam de inspiração, assim como serviram para mim.

Inspirada, escrevo com a neve caindo em um dia ensolarado no Brooklyn. Ontem participei da gravação do disco da paquistanesa Arooj Aftab, quatro dias atrás me apresentei em Chicago tendo o diretor musical de The Blue Man Group, Jeff Quay, como meu baterista. Hoje à noite viajo para mais apresentações até o romper do ano, nas terras mais aquecidas da Flórida. De lá, seguirei para os ensaios do Stringshot em San Francisco, projeto com o americano Roy Rogers e do paraguaio Carlos Reyes. E antes de retornar ao

Brasil, entre um acorde e outro, cantarei para os golfinhos e baleias nos mares do Hawaii.

Sim, o mundo é uma bola flutuante onde circulo com passaporte livre, que é o da música e o do amor pela vida. Avoé!

Badi Assad
dezembro de 2017

áfrica

TRIPOLI
CANDIA
SYRIA
ARABIA DESERT
PERSIAN GULF
KERMAN
OMAN
ARABIA
Desert of Bilma
BORNOU
ZANFARA
BEGARMEE
Dongola
KORDOFAN
Sanaa
Socotora
KINGM OF ADEL
ETHIOPIA
Magadoxa
Melinda
Pemba
Zanzibar I.
Quiloa
C. Delgado
COMORO
Cape Ambro
East Cape
Mozambique
JAGAS
BOROROS
BUTUA
Benguela
Nazareth Bank
I. of France
Rodrigues
Fort Dauphin
Cape St. Mary
Port Natal
Return of the Resolution 1780
Mar 22 1780
Juan de Lisboa
Lagullas Bank
I N D I A

amina annabi

É interessante o rumo de certos acontecimentos. Vou contar: peguei um avião em Guarulhos com destino ao festival Urkult, no norte da Suécia. O avião levou dez horas para cruzar o Atlântico até Lisboa. De lá, voei para Estocolmo durante quatro horas. Da capital sueca, peguei um trem que levou outras quatro horas para chegar em Kramfors, onde um carro me aguardava para viajar mais três horas e chegar a Näsåker. Pronto. Vinte e seis horas (contando com as cinco extras que aguardei entre um transporte e outro) e eu chegava a meu destino final.

Valeu? Sim, valeu, pois o Urkult Folkfest é um dos maiores e mais interessantes festivais de world music do planeta. Se você pensa que os hippies de Woodstock desapareceram, está enganado. Desconfio que foram todos parar em Näsåker. Era muito dreadlock, pés descalços, faixas coloridas, crianças soltas, saias largas, dorsos sem camisa, paz, tatuagens, amor e muita música, mesmo. O festival não dura muitos dias, são apenas três, mas nos três palcos armados em um círculo ininterrupto de música encontramos abrigo para artistas de todos os cantos do mundo, livres para expressar suas origens e trazer arrepios de longe.

A cidade tem somente 500 habitantes. Porém, durante o festival, acolhe um público de 10 mil pessoas, que acampam floresta adentro. Como só existe um pequeno bed & breakfast, os artistas são hospedados por familiares. No meu caso, fiquei na casa de uma senhora alemã que mal falava inglês. Uma aventura por si só.

Adoro participar desses festivais, pois neles tenho a oportunidade de deparar com músicos muito difíceis de acessar de outra forma. Seus organizadores passam anos pesquisando artistas para apresentar ao seu público fiel, que viaja de todos os cantos da Europa.

Minha apresentação aconteceu no último dia do festival, ao lado da incrível percuteirista e grande amiga brasileira Simone Sou e seu parceiro acordeonista, tão maravilhoso quanto ela, Oleg Fateev, da Moldávia. O show foi muito bacana. Depois que terminou, nos misturamos com o público para curtir as outras atrações. Naquela noite seria o encerramento do festival e uma tal de Amina Annabi cantaria. Havia muita expectativa. Até então eu não tinha conectado uma coisa à outra.

Voltando no tempo: em meados dos anos 1990, chegou às minhas mãos YAHIL, um disco que mesclava música árabe e francesa com ritmos eletrônicos, algo saudado como "ethno-techno". Não é à toa que recordo claramente o que aquela inusitada combustão provocou em mim. Eram ritmos contagiantes que desde então, e em praticamente todas as festas que fiz em casa por um bom tempo, estavam presentes. A voz daquela cantora virou algo *sui generis* em minha coleção e não havia quem resistisse à pista de dança. Anos se passaram e, apesar do ritmo das festas ter diminuído bastante, aquele som ficou muito bem guardado em meu inconsciente musical, como um bel prazer.

Na época, não fazia ideia de quem fosse, porém, agora sei e vou contar: Amina nasceu em uma família de músicos na Tunísia, filha de pai tunisiano e mãe francesa. Um de seus tios se envolveu, enquanto ela era ainda jovem, na criação do Tabarka Jazz Festival, e foi lá que teve a chance de assistir e experienciar vários artistas internacionais como Joan Baez e James Brown, assim como a famosa diva argelina Warda. A contaminação por culturas diversas havia começado. Como consequência, as inquietações e buscas musicais afloraram e ela acabou se mudando para a França. Em 1991 ficou conhecida após ganhar o prêmio de melhor cantora do ano, no aclamado festival Eurovision, e desde então não parou de ampliar a coleção de prêmios. Porém, o maior deles, em minha opinião, foi o de nunca ter abandonado as mesclas que suas curiosidades inventaram.

Muito talentosa, ela também desenvolveu seus dotes de atriz. Depois que estreou no filme *O céu que nos protege* (1990), de Bernardo Bertolucci, não parou mais. Atuou em *Entre a luz e as trevas*, do diretor Lesle Megahey, e *La Belle Histoire*, de Claude Lelouch, para citar alguns.

Quando a noite se anunciou em Urkult, o ritual do fogo começou. Todos os anos o festival acende tochas e um show pirotécnico acontece. No meio daquele clima apaixonado pela vida, Amina apareceu e começou a cantar fazendo pirotecnias vocais com a mesma força daquelas chamas. Meu corpo começou a se movimentar de uma forma que eu já havia movimentado antes. Uma memória orgânica começou a tilintar: "Já ouvi esta voz antes". Porém, demorou muito e não tinha completa certeza, até porque não recordava o nome da cantora de anos atrás.

Quando o show acabou, corri para o backstage. O festival tinha criado uma área somente para os artistas se confraternizarem. Dei de cara com ela. "É você mesmo!" Consegui me lembrar da capa do disco e uma reminiscência daquele rosto de quase 30 anos atrás se confirmou. Não éramos mais as mesmas, mas a força de Amina se mantinha intacta, ou ainda melhor.

angelique kidjo

Angelique Kidjo nasceu em berço de ouro. Não no que diz respeito àquele que reluz materialmente, mas no que vem do aprendizado familiar e suas tradições mais nobres. Quando estava no segundo ano do Ensino Médio, já estudava filosofia sabendo debater com os amigos, por exemplo, os méritos de Rousseau e Camus.

Quando adolescente, foi incentivada pelo pai a reescrever uma canção que falava com fúria do Apartheid na África do Sul: "O papel do artista não é incitar a violência, mas inspirar a paz". Com o tio aprendeu que nosso papel enquanto criadores não é o de querer dar lições de moral nem dizer o que deve ser feito: "O máximo e mais sensato é seguir com nossas vidas da melhor forma possível e servir de exemplo, sempre. Nós somos os facilitadores, mas não somos deuses e, portanto, cabe a nós o oferecimento da arte nua em sua verdade, e às pessoas cabe o livre arbítrio de interpretá-la como quiserem e seguirem adiante".

Angelique nasceu no Benim, em 1960. Passou a adolescência convivendo com a liberdade de expressão, mas quando entrou na fase adulta entendeu que essa mesma liberdade tinha se tornado algo proibido pelo Partido Comunista, com a Revolução de 1978. Com um governo que somente aprovava músicas que apoiassem o regime, ela resolveu escapar do país em silêncio e se exilar em Paris. Conquistou, assim, alforria intelectual. No exílio semeou e colheu sucesso: "Quem poderia adivinhar que uma pequena garota com nove irmãos e irmãs, de um dos países mais pobres do mundo, ganharia um Grammy ou cantaria no Carnegie Hall?".

Angelique teve uma infância que a ensinou a cultivar tradições. Aos seis anos começou a subir no palco acompanhando o grupo teatral da mãe e aprendeu a apreciar diversas artes como a música e a dança. Em casa ouvia de tudo e assim aprendeu a misturar, por exemplo, a força da palavra como forma de expressão de um povo (com os revolucionários Fela Kuti e Miriam Makeba) e as fogueiras que incendeiam por dentro quando performances alucinam (com os eufóricos Jimi Hendrix e James Brown).

Quando Angelique sobe no palco, ela é isso tudo e traz bem viva a incrível riqueza de sua cultura: "A maioria das pessoas não sabe que o panteão dos deuses Vudun, de Benim, é tão rico e complexo quanto o dos gregos. Nossos ritmos se espalharam por todo o Brasil, Cuba e Nova Orleans durante o período do tráfico de escravos. Fui a Salvador e a Havana e ouvi pessoas cantarem músicas da minha aldeia, todas mantidas vivas durante séculos pela diáspora africana".

Angelique é uma das vozes africanas que se fez ouvir em escala global, uma rainha, preta, maravilhosa. Canta com voz potente em qualquer palco que a convide, desde respeitáveis teatros aconchegantes até arenas gigantescas. Onde quer que ela pise, contagia. Com aqueles olhos fortes que podem parar um show para delatar presidentes e expressar seus pensamentos, ela sabe protestar e imediatamente voltar ao leve sentimento de antes da manifestação. Ela sabe o que faz.

Diferente de outros ícones africanos, ela se envolve em temas diferenciados como o aquecimento global (quando participou como embaixadora do UNICEF na conferência internacional Copenhagen Climate Summit 2009) ou quando se uniu a Annie Lennox e outras 22 mulheres para trazer à consciência a transmissão do HIV em crianças ainda não nascidas na África. Em 2012, participou de um concerto chamado "Levante sua voz para acabar com a mutilação genital feminina", em Nova York.

Também sem preguiça criou a fundação Batonga, que busca realizar o sonho de, logo após a independência de seu país, disponibilizar à nova geração de meninas do Benim o mesmo acesso à educação que ela teve quando criança: "As adolescentes são muitas vezes as primeiras a abandonar a escola devido ao efeito debilitante da pobreza, ao casamento precoce e à pandemia da Aids, criando um ciclo vicioso que persiste por gerações. Famílias, comunidades e economias inteiras se beneficiam quando o potencial humano dessas meninas é realizado".

Cantando em suas línguas nativas primordialmente, ela nos ensina que não é necessário entendermos as palavras para sentirmos o que elas transmitem. E que é possível vestir-se de coragem para alastrar as tradições que honra. Sua performance é cheia de vida, expressão corporal e força. Angelique Kidjo entra em cena e nós a reverenciamos.

emmanuel jal

Desde 2015 estou envolvida com a organização GTAC (Genesis at the Crossroads) e seu grupo musical, Saffron Caravan, que defende a ideia de que através da música é possível conquistar a paz entre povos de religiões e políticas conflitantes. Tenho subido em palcos de cidades que sofreram genocídio ao lado do muçulmano-israelense Haytham Safia e do judeu-marroquino Aaron Bensoussan, em um ato de amor sem fronteiras e camaradagem genuína.

Minha estreia no grupo ocorreu em Srebrenica, Bósnia, que teve sua população quase toda dizimada de 11 a 25 de julho de 1995. O evento ficou conhecido como "Massacre de Srebrenica", que é considerado um dos acontecimentos mais terríveis da história recente desde a Segunda Guerra Mundial. Para uma plateia de jovens que nasceram depois da catástrofe, apresentamos uma mescla possível de culturas e ritmos diferentes, ao combinar o alaúde árabe de Haytham, o canto litúrgico do chazan (nome dado ao cantor treinado dentro do judaísmo para guiar a recitação das orações nas sinagogas) Aaron e minha porção musical líbano-brasileira. Aparentemente a junção dessas etnias em harmonia seria algo improvável e, para muitos, inaceitável, porém nossas melodias e acordes compartilham naturalmente a maravilhosa hegemonia humana, apesar de suas diferenças.

Depois do concerto houve um debate no qual pude perceber o impacto de nossa apresentação. Meu coração se encheu tanto de esperança que acabei me envolvendo em outro projeto do GTAC chamado Summer Institute, um piloto para a construção da Genesis Academy for Global Leadership (2020), com foco na criação de jovens embasados nos fundamentos necessários para a evolução de um líder atual, contendo estudos sobre direitos humanos, jornalismo da paz, sustentabilidade ambiental, música e sua utilização para consolidar a união harmoniosamente. Nesse programa, sou responsável por compartilhar a importância da música na linguagem universal e sua forma natural de romper barreiras, assim como compor uma canção com os vinte adolescentes vindos de países em conflito como Paquistão, Camboja, Uganda, Bósnia, entre outros.

Nas pesquisas para levantar conteúdo para a minha palestra, descobri a história do músico Emmanuel Jal, nascido no Sudão do Sul em 1980. Fiquei profundamente tocada. Emmanuel não é o único, mas com certeza é um dos mais importantes exemplos de que a música funciona como um possível meio para a reconstrução da paz, sobretudo a interior. Ela tem o poder de ajudar no resgate da autoestima individual e de entranhar coletivamente a ideia da confraternização entre as diferenças. Dessa forma, a paz mundial é disseminada como uma necessidade legítima.

Quando Jal tinha sete anos teve a mãe assassinada durante a Segunda Guerra Civil do Sudão. Falando em massacre, ele, que tinha o pai ausente por estar lutando pelo SPLA (Exército Popular de Libertação do Sudão), se juntou a outras crianças abandonadas na tentativa de fugir para o país vizinho, Etiópia. Infelizmente sua jornada não o levou ao destino planejado, pois durante o caminho foi, junto com outras crianças, recrutado para se transformar no que é chamado de "war child" (criança de guerra). Jal passou vários anos lutando para o SPLA, sem sequer saber o que aquilo realmente significava, no combate ao governo.

Então, ao invés de entrar para a escola onde almejava segurar lápis e livros, Emmanuel aprendeu a segurar armas, jogar explosivos, dilacerar corpos, corações e sonhos. Suas lágrimas buscaram esconderijo na alma e lá ficaram na esperança de que a atrocidade que seus olhos testemunhavam fosse um dia cessar.

Quando a guerra tornou-se insuportável, Jal e outros 400 soldados crianças decidiram fugir novamente. Durante três meses sucumbiram à fome, emboscadas e ataques de animais. Somente dezesseis sobreviveram. Ao invés de recorrer ao canibalismo, comeu caracóis e abutres até chegar a um campo de refugiados, onde conheceu a trabalhadora humanitária Emma McCune, que acabou por adotá-lo e o contrabandeou para o Quênia. Pouco tempo depois ela faleceu e Emmanuel foi parar nas favelas. Porém, foi lá que descobriu o hip-hop e o poder incrível que o gênero abrigava para a comunicação espiritual e política. Então, quando começava finalmente a estudar, a música se transformou em algo imprescindível para aliviar seu passado e poder seguir em frente, ao futuro. Seu primeiro single *All We Need is Jesus* foi um sucesso no Quênia e chegou às rádios inglesas. Assim, Jal começava a fazer-se ouvido além da África, transformando-se em um dos mais proeminentes artistas do hip-hop internacional. Apesar de ter conhecido o estilo a partir dos artistas norte-americanos, sua música se mantém com pés fincados na África.

Já lançou seis CDs, participou do TED Talks, escreveu o livro *A Child Soldier's Story* e participou como ator no filme *The Good Lie* (de Philippe Falardeau), que narra justamente a trajetória de refugiados da guerra civil sudanesa nos Estados Unidos.

> "Emmanuel Jal serve como um farol de esperança para aqueles que estão presos em ciclos de guerra e desespero aparentemente intermináveis." (TED Talks)

> "A narrativa de Jal flui entre a escuridão e a luz, o terror que aconteceu com sua família e parentes, os horrores que ocasionou a outros e um desejo profundo de corrigir as coisas." (Washington Post)

Emmanuel Jal é um sobrevivente, e por meio de sua história pessoal nos sentimos encorajados a continuar na incessante busca de igualdade entre povos e na crença de que a evolução do ser humano é ainda algo real e possível.

Geoffrey Oryema

Sim, teve um momento em minha vida em que o ar ficou suspenso. Quando saí da clínica neurológica de Cleveland (Ohio, nos Estados Unidos) e o médico disse que eu provavelmente nunca mais tocaria violão, o ar pesou. Ao aprender que eu tinha distonia focal e que a medicina ocidental não conhecia suficientemente a síndrome para conduzir qualquer tipo de tratamento, ouvi um "boa sorte" do médico como flechada no coração.

Era 1998 e, apesar de minha carreira estar em seu auge internacional, fui obrigada a parar por simplesmente ter perdido mais de 90% da minha habilidade de tocar violão. Felizmente meu amigo-mentor David Levitan me inspirou a não vestir a camisa de vítima e mergulhei numa viagem enriquecedora dentro de mim mesma.

Como parte do meu processo de recuperação tinha como oásis visitar lojas de discos e explorar universos desconhecidos, como aqueles que buscava internamente. Certo dia fui atraída pelas fotos incluídas no livreto de NIGHT TO NIGHT, disco do músico africano Geoffrey Oryema, ainda desconhecido para mim. Uma das fotos trazia suas mãos fechadas sobre um fundo laranja enquanto em outra elas se abriam sobre um fundo roxo.

Entre minhas muitas curiosidades, eu havia recentemente lido sobre o significado das cores. Laranja manifestando alegria, vitalidade e prosperidade, enquanto o roxo, espiritualidade, magia e mistério. O que me chamou atenção foi que na foto de fundo laranja suas mãos estavam fechadas e na de fundo roxo, abertas. E era exatamente assim que eu me sentia. Minhas mãos tinham se fechado para a vitalidade e alegria, enquanto se abriam para uma descoberta espiritual e mágica. Comprei o disco.

Para minha surpresa o conteúdo musical também era uma viagem. A primeira faixa tinha um som nostálgico de apenas um acordeão acompanhando uma voz que me dava a impressão de vir de uma pintura antiga, toda craquelada. Parecia que por suas fissuras eu era convidada a subterrâneos profundos. Sem tempo para respirar, a segunda faixa, *Medieval Dream*, surgiu como um túnel submerso em águas, com sons de baleias, gotas e o timbre indiscutivelmente africano de um lukeme, instrumento alegoricamente conhecido como harpa de polegar, que o próprio Geoffrey toca. Com ritmo determinado e notas repetidas como um mantra, aquela mesma voz reapareceu, só que não mais soando subterrânea, e sim empostada como um cantor operístico no alto de uma misteriosa montanha. O som não parava de crescer em densidade e volume, até que desabrochou em energia de rock cadenciado. Pronto, eu estava totalmente encantada pelos enigmas deste artista nascido em Uganda, mas com sonoridade que extrapolava suas origens.

Geoffrey veio de uma família inserida nas culturas tradicionais de seu país, que se expressava como contadores de histórias, poetas e músicos. Quando adolescente escreveu canções e aprendeu a tocar guitarra, flauta e lukeme. Porém, em 1977, aos 24 anos, teve de ser contrabandeado pela fronteira ugandense no porta-malas de um carro, após o assassinato de seu pai, Erinayo Oryema, então ministro de gabinete no governo do ditador militar Idi Amin Dada. Geoffrey começava assim uma longa e árdua jornada em exílio até chegar à França.

Em Paris (1989) foi visto por um representante do WOMAD Festival, à procura de talentos. Isso o levou até Peter Gabriel e sua gravadora, Real World, imediatamente providenciou o lançamento de EXILE. Disco totalmente imerso na cultura africana sem muita interferência de outros estilos, ainda. Porém, com alma livre, Geoffrey não parou por aí e misturou: "Os artistas do terceiro mundo sempre correm o risco de ser criticados quando pegam emprestados sons europeus ou de qualquer outro lugar do mundo. No entanto, artistas ocidentais como Paul Simon são elogiados por cavar as ricas culturas da África. Minha música vem do coração. Eu não quero ser aprisionado a nenhum gueto. Eu sou e quero ser universal".

Anos mais tarde, e desafiando a medicina tradicional, recuperei os movimentos de meus dedos e voltei a tocar. E em 2005 lancei

VERDE, que me recolocou na cena da música mundial. Curiosamente, enquanto viajava para promover esse trabalho, descobri que o acordeão no princípio de NIGHT TO NIGHT do Geoffrey foi gravado pelo brasileiríssimo Toninho Ferragutti. E não é que o Toninho também gravou comigo em VERDE? Percebi então que Geoffrey e suas mãos abertas para os mistérios da alma serviram para mim, desde aquele dia na pequena loja de discos, como um mantra de liberdade sem fronteiras, sejam elas na música ou na vida. Ele fez parte de minha cura.

miriam makeba

No final do século XIX tudo o que Jorge queria era escapar da falta de perspectiva que assolava o Líbano. Vestiu-se de coragem, subiu sozinho num transatlântico e encarou o mar, cruzando o oceano com destino incerto à terra brasilis. Nunca descobrimos ao certo quais foram os mistérios que o conduziram do litoral santista à pequena São João da Boa Vista, no interior de São Paulo, mas foi nesta cidade que conheceu a descendente de italianos Francesca, se casou e viveu todo o resto de sua vida.

Curiosamente, quando Jorge e Francesca criaram os filhos (e foram 18!) não se importaram em manter vivas suas culturas de origem. Na verdade, quando chegaram aqui se propuseram a uma vida nova, e partiram para ela do zero. Meu pai foi um de seus muitos filhos, mas o único a ser batizado com o nome Jorge. Anos mais tarde, na mesma pequena cidade, meu pai conheceu a descendente de portugueses Angelina, casaram-se e tiveram quatro filhos. A caçula, eu.

Apesar de não ter tido nenhum encontro com essas culturas que me são ancestrais, sempre tive interesse, mesmo que distante. Já adulta e depois de descobrir os prazeres da escrita musical, quis prestar uma homenagem a todos esses lugares de onde vim. Era 2008 e eu ainda estava sob o encantamento do nascimento de minha primeira e única filha, Sofia. A chegada dela havia me colocado em um estado tão profundo de contemplação que atingi um dos momentos mais criativos de minha vida. Senti-me como um portal de energia, canalizando amor e música, como se a criação em si tivesse encontrado porto em mim. Compus compulsivamente durante seus dois primeiros anos de vida. Foram umas 200 canções mais ou menos, e uma delas dediquei à minha ancestralidade: *Eu vim daquele lugar.*

Com papel e lápis na mão, e coração aberto, deixei a escrita livre. Nesses momentos inspirados sinto-me desaparecer dentro de mim mesma. Como se uma força maior me invadisse e eu apenas servisse de portal para a escrita. Quando terminei e li, descobri que não havia Líbano, Itália ou Portugal em uma frase sequer. Eu tinha escrito sobre comer fogo, me vestir de duna, caminhar sobre espumas brancas amareladas, atravessar o Nilo, o Atlântico...

E assim percebi por conta própria que meu sentimento mais profundo estava enraizado em um lugar muito mais antigo. Um lugar de onde, na verdade, todos viemos: África. Fiquei embriagada com aquela descoberta e imediatamente fui pesquisar sobre o assunto. Não me lembro dessa informação ter chegado até mim em minha educação formal. Porém, naquele dia constatei que minha escrita era verdadeira. De fato, quando se lê a história da humanidade, nos deparamos com a mais antiga espécie de hominídeos de que se tem notícia, *Australopithecus*, surgida há cerca de 3 milhões de anos, onde? África.

Neste momento, outra curiosidade me invadiu: quem teria sido o primeiro artista a ser conhecido fora da África? Sabemos que sua música já havia cruzado as fronteiras do continente há muito tempo, quando viajou no espírito dos africanos escandalosamente transportados como mercadoria humana. Nosso agradecimento eterno à bravura desses homens e mulheres que, ao chegarem nas Américas, tiveram como única forma de aquecer suas almas regarem-na internamente para não sucumbirem. Derramaram entre suores, sangues e lágrimas sementes silenciosas que se enraizaram, dando origem a, nada mais nada menos, que gêneros como o jazz, blues, salsa, samba, entre tantos outros. O que seríamos sem a África?

Li então que até a década de 1960, apesar de o mundo já ter acesso às suas produções culturais, na maioria dos países africanos os estúdios de gravação eram muito mal equipados e as gravadoras raramente possuíam um sistema que possibilitasse a exportação de sua produção fonográfica, que dirá de seus artistas. Continuando a leitura, fiquei positivamente surpresa quando descobri que o artista que conseguira atingir tal proeza, a de extrapolar fronteiras, fora uma mulher. Fiquei admirada, pois não imaginava ter sido uma sul-africana, no meio de toda a opressão do Apartheid, quem tivesse conseguido catapultar-se ao mundo. Miriam Makeba foi uma pessoa fascinante em seus 76 anos de vida (1932-2008). Além de cantar, compor e atuar, ela se transformou em Embaixadora da Boa Vontade da ONU, assim como uma das mais importantes ativistas dos direitos civis de toda a história africana.

Eu já tinha alguma ideia sobre ela, mas muito superficialmente, confesso. Certa vez uma crítica norte-americana me chamou de "uma mistura de Ben Harper com Miriam Makeba". Todavia, a única semelhança que encontrei foi o motivo de eu ter gravado, desde meu primeiro CD, SOLO (1995), incursões vocais cantadas ao mesmo tempo que emitindo sons percussivos com a boca.

Meu mergulho no universo da exploração da voz partiu de uma curiosidade rítmica e de uma vontade de explorar minha atuação enquanto solista, fazendo tudo simultaneamente. No caso da Miriam, tinha sido algo muito mais natural: existem 11 línguas oficiais na África do Sul e ela falava uma delas, a Xhosa, que tem consoantes que emitem o som de cliques, ora com os dentes, ora com a língua no céu da boca, produzindo sons simultâneos também.

Miriam nasceu quando praticamente tudo se tornara proibido aos negros em seu país. Inclusive sua mãe, Christina Makeba, foi presa quando, para sobreviver, estava vendendo um tipo de cerveja caseira clandestinamente. Miriam então passou seus primeiros seis meses de vida no colo da mãe, entre quatro paredes. Obviamente ela não traz essa memória, mas com certeza assimilou sofrimentos enquanto sorvia o leite materno. Dor que provavelmente voltou a sentir quando a mãe faleceu (depois do massacre de Sharpeville, em 1960) e ela, expatriada, foi proibida de velar seu corpo pessoalmente. Porém, como Christina era xamã e devia enxergar a vida pelas lentes da espiritualidade, além de ter acesso às forças da Natureza, deve ter ensinado à pequena Miriam que existem outras formas de comunicação.

Miriam desenvolveu sua musicalidade por influência da mãe, que tocava vários instrumentos tradicionais; do pai, que tocava piano; e do irmão, que colocava Ella Fitzgerald e Duke Ellington para ela ouvir. Seu gosto musical já começou misturando música tradicional africana com jazz, que tem raízes africanas. Interessante perceber as voltas do mundo, não é?

Apesar de ter cantado com algumas bandas no começo da carreira, foi sua aparição no filme antiapartheid *Come Back, África* (produzido e dirigido pelo cineasta americano Lionel Rogosin, em 1959) que a fez despontar para o mundo. Apesar da participação ter sido pequena, ela impressionou e começou a ser convidada para cruzar oceanos. Em Londres conheceu o cantor, ator, compositor e ativista social norte--americano Harry Belafonte, que se tornou seu mentor e produtor. Em menos de um ano Miriam estava se apresentando em Nova York e conquistando o público americano com seu primeiro e grande hit *Pata Pata*. Depois, muitas outras águas rolaram.

Ela foi uma mulher de muitas viagens, teve vários relacionamentos maritais, muitas lutas e infinita inspiração e bravura. Sobreviveu duas vezes ao câncer; quando exilada, recebeu de dez países cidadania honorária; cantou para o presidente americano John Kennedy; foi a primeira artista africana a ganhar um Grammy; presenciou a morte de sua única filha, Bongi; excursionou com Paul Simon na lendária turnê Graceland; gravou com Nina Simone e tornou-se porta-voz dos africanos vítimas de governos opressivos. Isso para citar algumas de suas conquistas.

Nelson Mandela, quando foi efetivamente liberado da prisão em 1990, persuadiu Miriam a retornar à África do Sul, depois de 30 anos em exílio. Quando ela faleceu, Mandela declarou: "Miriam Makeba foi nossa primeira grande dama musical", e completou, "sua música inspirou um profundo e forte sentimento de esperança em todos nós".

Miriam foi uma pioneira que desvendou sua própria força, a encarou de frente, deu a cara para bater, cantou inúmeros cantos de liberdade, mergulhou profundamente na dor e nas maravilhas da vida. Usou ensinamentos silenciosos para criar raízes em si mesma e proliferar sentimentos genuínos de independência, direito, alforria e encantamento. Fez de sua voz um canto de luta e combateu o racismo sem nunca ter perdido a doçura e a feminilidade. Uma lição de vida.

RICHARD BONA

Quando pensamos em músicos africanos, imediatamente nos conectamos a percussões, guitarras ritmadas e muita dança. Tudo bem, podemos até imaginar esses ritmos misturados a outros estilos, mas é difícil desassociá-los do registro sonoro que já conhecemos.

Contudo, em 1967, surgiu em Camarões, na região ocidental da África Central, alguém que traria novos elementos a esse inconsciente coletivo. Pois no dia 26 de outubro nasceu um músico que entraria para a história como um dos melhores contrabaixistas de jazz do mundo, Richard Bona. Apesar de nunca ter abandonado suas raízes musicais africanas, ele desenvolveu magistralmente uma técnica impecável como músico de jazz, tanto que seu reconhecimento internacional aconteceu por esse viés.

Richard Bona vem de uma família de artistas, seu avô era um griot (contador de histórias) e percussionista, e sua mãe, cantora. Quando tinha quatro anos aprendeu a tocar o balafon (xilofone de madeira africano) e com cinco já começou a se apresentar na igreja de sua aldeia. Aos onze anos aprendeu a tocar guitarra e criou seu primeiro grupo musical. Com ele, apenas dois anos mais tarde, já subia no palco do clube francês de jazz da maior cidade dos Camarões, Douala. Nesse ambiente foi introduzido ao universo de um dos maiores contrabaixistas de toda a história, Jaco Pastorius. O jovem ficou tão enfeitiçado que mudou seu foco para o baixo elétrico. Pronto, nascia Richard Bona, um dos melhores contrabaixistas do mundo.

Aos 22 anos foi estudar música na Alemanha. Desde então sua trajetória só conheceu expoentes. Uma escalada que o levou aos melhores palcos dos quatro cantos do mundo. Ora com sua própria banda, ora acompanhando outros monstros sagrados como Joe Zawinul, Branford Marsalis, George Benson, Larry Coryel, entre outros. Por essas andanças, recebeu vários prêmios e deve isso à sede de experimentar. A cada lançamento visita algum terreno ainda inexplorado.

Em 2015 encontrei-me com ele durante o maior festival de jazz da Ásia, Jarasum Jazz Festival, na Coreia do Sul. Um homem lindo, negro, com seus turbantes e elegância cavalheiresca, sentou-se ao meu lado no café da manhã. Conversamos sobre banalidades e ele, muito feliz, me contou o quanto gostava do Brasil e de nossa música. Pude perceber que estava sempre preparado para um sorriso e, quando sorri, acende.

Tocando seu contrabaixo e cantando com sua banda, Bona colocou 15 mil coreanos chacoalhando cabeças e braços, já que todos se mantinham sentados e cordialmente aplaudiam ao final de cada música. Algo impressionante de se ver.

No ano seguinte, e no meio de uma turnê americana, passei por Nova York. Liguei para Bona: "Hey! Vamos nos encontrar?" Ele respondeu: "Estou na Europa! Mas se quiser deixo seu nome como convidada para conhecer meu clube. Quer?" Como assim?

Richard Bona tinha aberto um clube de jazz em uma das cidades mais jazzísticas do mundo e eu nem sabia? Rapidamente descobri que não era apenas isso. Seu clube estava localizado na histórica East 52nd Street e eu já tinha ouvido falar daquela rua. Durante as décadas de 1930 e 1940, ela abrigava tantos clubes de jazz que era conhecida como "Swing Street". Todos os grandes nomes circularam por ali como Miles Davis, Charlie Parker, Billie Holiday, Ella Fitzgerald. Porém, com os anos, a famosa rua teve praticamente todos os seus clubes fechados e consequentemente o jazz desapareceu da região. Agora, nas mãos de Bona, o Club Bonafide está levando o jazz de volta ao lugar. O nome do clube é uma brincadeira com seu próprio nome e *bonafide*, palavra latina que significa, em português, boa fé.

Foi assim que, em seu clube, tive o privilégio de assistir de perto outro fenômeno genético, o pianista cubano Chuchito Valdés, filho de Chucho Valdés, neto de Bebo. Foi maravilhoso! E apesar de Bona não estar presente, pude sentir sua gentileza e sua importância no cenário da cortesia musical e humana. Realmente um cara de boa fé.

youssou n'dour

Em 1959 Youssou N'Dour nasceu. Foi em Dakar (capital do Senegal) que seu choro foi ouvido pela primeira vez. Ainda menino sonhava em ser esportista, mas na adolescência sofreu um pequeno acidente que transformou suas aspirações com a bola em outro tipo de gol. As cordas vocais começaram, assim como um locutor de esportes, a emitir timbre forte e próprio. E dessa forma se transmutou no artista mais representativo de seu povo e de toda a história cultural do seu país. Um golaço mesmo.

N'Dour passou a infância ouvindo a mãe contar histórias em forma de canções no tradicional griot. Misturou essa memória com os ritmos wolof e cubanos para desenvolver o mbalax. Talvez estes sejam nomes que você não conheça, mas com certeza, se os ouvisse, quadris e pernas não resistiriam ao vai e vem dançante. Ele também passeou pelo hip-hop, jazz e soul music. Mas não se preocupe, porque na memória orgânica do movimento sua conexão com a África continuará.

Fundador de um dos grupos mais famosos do continente africano, Le Super Étoile de Dakar, N'Dour soube levar suas certezas para o palco. Não sentia, porém, que apenas com isso estaria chutando aquela bola imaginária para dentro da rede vazia. Ele tinha que expressar suas ideias e pensamentos de uma forma mais ampla e então passou a lutar pelos direitos humanos fora do palco também. Ao lado de artistas como Peter Gabriel, Sting e Tracy Chapman, participou incansavelmente de movimentos como Human Rights Now, da Anistia Internacional e Liberdade para Nelson Mandela, além de se tornar Embaixador da Boa Vontade da ONU, para nomear alguns.

Em 1998, compôs a trilha do incrível filme de animação *Kirikou e a Feiticeira*, no qual um bebê anuncia o próprio nascimento ainda de dentro da barriga da mãe, vindo ao mundo sem ajuda de ninguém e engatinhando para fora do seu ventre para tomar o primeiro banho, tudo sozinho. O pequeno Kirikou enfrenta a feiticeira ainda neném, mas já andando, correndo e usando inteligência intuitiva. E assim consegue driblar as malvadezas dela, que praticamente comeu todos os adultos homens da aldeia onde nasceu.

Ao convidá-lo para compor essa trilha, sabiam que a aura do filme seria vestida com autoridade, por ter sido, ele mesmo, um homem corajoso que se lançou no mundo para cantar suas crenças, assim como o pequeno Kirikou. A música de Youssou é precisa e ajuda o menino a salvar uma mulher sensitiva que fora transformada em feiticeira má, pela constante dor física. Quando o motivo da dor, um espinho infiltrado profundamente em sua coluna, é retirado, ela se transforma em uma linda mulher.

Acredito que N'Dour com sua música tenha retirado (ou pelo menos tentado retirar) uns bons espinhos da coluna de alguns seres humanos quando lançou EGYPT (2004). Nascido muçulmano e praticante do místico sufismo, ele compôs as canções deste álbum com assuntos sobre a intolerância e mal-entendidos sofridos por sua religião, o islamismo. O álbum lhe rendeu, finalmente, o Grammy de melhor disco do ano, na categoria world music. N'Dour conseguiu, assim, ser ouvido em uma escala ainda maior e conquistou o posto de um dos artistas mais conhecidos do planeta.

Na verdade, ele se tornou uma figura de proa para a África, promovendo incansavelmente a ideia de que "há mais neste continente do que a corrupção, a Aids e o genocídio". No processo, estabeleceu reputação por ser um homem, além de sensível, sábio, sensato e, acima de tudo, humano.

zap mama

Marie Daulne nasceu em solo africano, mas foi criada no europeu. Seu pai, cidadão belga casado com uma congolesa e residente do Congo, foi assassinado durante a crise no país, em 1964. Marie, ainda menina, foi transferida com a mãe e irmãos para as terras longínquas do pai. Na Bélgica cresceu ouvindo música "branca", já que a mãe temia que os filhos somassem à orfandade a dor do preconceito racial.

No lar novo havia poucos negros ao redor. O único contato era pela televisão, com seus expoentes esportistas e musicais. Marie se inspirou. Interessante perceber que foi a atividade física, e não a musical, que a encantou primeiro. Pouco tempo depois já começava a alimentar sonhos olímpicos.

Todavia, o futuro veloz foi interrompido por uma fratura na perna e somente então o destino musical encontrou espaço para chegar ao coração. Imediatamente uma urgência para beber na fonte de seus antepassados a invadiu.

Enquanto se recuperava do acidente, e tendo a música como acalanto, ela percebeu o chamado. Pegou um avião com destino à sua ancestralidade e desembarcou nas florestas congolesas. Lá entrou em contato com os pigmeus e descobriu que aquela música fazia parte de suas primeiras recordações. Marie foi arrebatada por uma herança atávica e tornou-se urgente aprender sobre aquele povo, suas melodias e técnicas vocais: de sons onomatopaicos, polifônicos (maneira de fazer música com melodias superpostas) e em contraponto (várias vozes em diversas combinações). Foi como se tivesse caído sobre ela um feixe de lucidez.

Aquele povo tinha como divindade a floresta, da qual se sentiam parte. Marie compactuou com aquela verdade e, imbuída desses sentimentos, retornou à Europa. Não demorou muito para trocar de nome, e assim Zap Mama nasceu.

Não sei o que "zap" pode significar para Marie, mas sei que a palavra é usada para o ato de mudar constantemente os canais da televisão. Ou seja, ela se autodenominou "A mulher que está sempre se transformando". Faz sentido, não? Ela diz "Sou uma nômade. É fácil para mim passar de um instrumento para outro, de uma cultura para outra, de um estilo para outro".

Em 1989 fundou o grupo que foi batizado com seu nome, Zap Mama, trazendo o conceito de transformar "cinco cantoras em uma só" e fundindo música africana com europeia. Depois trouxe outras misturas, como a música negra americana, urban, hip-hop, R&B, nu-soul, jazz e o afro-pop. "Quando fiz meu primeiro álbum, procurei mulheres que fossem da mesma mistura que eu – africanas e europeias. Queria colocar esses dois sons juntos para provar que o sangue do branco e do preto correm em perfeita harmonia."

Com o tempo Marie descobriu que, de alguma forma, conseguiria unir à nova paixão aquela outra mais antiga, quando as experiências da pista de corrida haviam facilitado o refinar de passos na dança. Usando a arte coreográfica, dirigiu o grupo e transformou-o em uma verdadeira orquestra bailada – imitando sopros, contrabaixos, percussões, ventanias, flores, arco-íris, carros, animais, congas, florestas inteiras. Cantando a capella e usando primordialmente a voz humana, Zap Mama não imaginava que algo novo estava sendo criado.

O primeiro trabalho delas, também chamado ZAP MAMA, foi descoberto por David Byrne, com seus poderes sementeiros. E como aquelas sementes se espalharam!

Rendo-me completamente aos talentos desta mulher. Quantas vezes coloquei Zap Mama para estudar, pesquisar e deleitar-me! Uma verdadeira mama, com suas tetas a jorrar criatividade. Ao longo dos anos o grupo incorporou outros elementos e deixou de se apresentar somente a capella, mas a missão continuou a mesma: servir de ponte entre a Europa e a África, unindo as duas culturas pela música.

Certa vez compartilhei com ela um show em Paris e tive a oportunidade de vê-la transformando-se em muitas, quando, em nova fase de sua vida (depois de ser mãe), passou a apresentar-se sozinha. No camarim me deparei com uma mulher enorme, com sapatos que cabiam meus dois pés dentro. A gigante musical estava ao meu lado e era doce como uma flor. Dei um sorriso e disse: "Sou sua fã!", e ela, em retribuição, respondeu, exibindo beleza singular e simplicidade: "Obrigada".

américas

ATLANTIC
OCEAN
SOU
ATLANT
De Brahams Track in 1771
AZORES or WESTERN ISLANDS
Columbus left Palos Augt. 3. 1492
Columbus returned 13th March 1493
Bermudas or Somers Islands
Rocks above water
CARIBBEAN SEA
CARIBBEE ISLANDS
VIRGIN ISLES
CAPE VERD ISLANDS
MADEIRA
CANARIE ISLANDS
BRASIL
AMAZONIA
Mostly Unknown
Mouth of the Amazons
Mouth of the Orinoco
Return of the Resolution in
Capt. Cook in 1776
Capt. Bouvet in 1738 & 1739
Tristan da Cunha Islands
Ascension
St. Pauls I.
Fernando Noronha
C. St. Roque
C. St. Augustine
St. Salvador
Abrolhos
Rio de Janeiro
Santos
R. S. Francesco
I. St. Catherina
Porto San Pedro
C. St. Maria
RIO DE LA PLATA
C. St. Antonio
Camarones Bay
Valparaiso
Valdivia
Castro
CHILOE I.
Sierra Leone
C. Palmas
C. Roxo
Gambia
C. Blanco
Arguin Bay
Madeira
C. Finisterre
BAY of BISCAY
NEW YORK
Delaware Bay
C. Hatteras
Charles Town
C. Breton
Louisbourg
Canso
C. Sable
Outer Bank
Green I.
Martin Vaz
Trinidad
Sep. 27. 1772
Oct. 1. 1776
Oct. 13. 1772
Nov. 1. 1768
May 15. 1777
June 18. 1777
July 1 1780

ani DiFranco

Buffalo, estado de Nova York, foi a cidade onde Ani DiFranco nasceu, se descobriu e começou a mostrar-se ao mundo como artista ímpar, capaz de contagiar qualquer um, com seu sorriso malemolente e sotaque específico da região, que imprime característica charmosa ao seu canto.

Assisti à Ani ao vivo somente uma vez na vida, quando morava em Sarasota, Flórida, e ela se apresentou em Tampa, cidade vizinha. Apesar de conhecer todos os seus discos até então, saber de cor suas letras e reverenciar seu estilo como violonista e cantorautora, aprendi em seu show que ela também se virava bem na frente de uma bateria, quando o show começou com ela acompanhando a banda que abria a noite. Mas não fiquei surpresa pois, com a precisão rítmica com que toca suas cordas de aço, não poderia ser diferente.

Ani é agitada. No palco, apesar de não sair da frente do pedestal fixo do microfone onde está plugada também ao violão, não para. Dança uma dança nervosa, sorri um sorriso nervoso e canta como se estivesse falando. Na verdade suas canções são histórias cantadas. Ela fala sobre racismo, sexismo, abuso sexual, homofobia, direitos reprodutivos, pobreza, guerra. Suas letras, que muitas vezes trazem metáforas, palavrões e uma singular ironia (mais ou menos gentil) também evocam sofisticação. Seus olhos estão sempre vivos e brilhantes, como os de uma menina reclamona. E ela reclama. Não dos sentimentos vazios ou das coisas mundanas, mas das feridas sociais e pessoais, seus desconfortos e deformidades.

Ani se apresenta sempre de forma despojada. Pra ela não tem essa história de figurino. Entra no palco como se estivesse entrando na sala de sua própria casa. Uma camaleoa de cabelos e cores sempre em transformação. Recentemente descobri que ela tem usado, em alguns de seus shows, uma pessoa que se comunica com a plateia em linguagem de sinais. E na plateia pude ver pessoas surdas compreendendo suas letras e dançando seus ritmos corpo afora. Com certeza mais artistas deveriam adotar essa ideia.

Bissexual assumida, mãe e artista engajada, ela não tem medo de se expor nem de se arriscar. Nunca teve. Uma destemida guerreira de causas sociais, que está sempre presente em organizações e projetos que envolvam ajuda ao próximo, com movimentos ligados a partidos verdes, antiproliferação de energia nuclear, ações antiguerra, direitos da mulher, direito ao aborto, liberdade LGBT...

Não sei ao certo quando Ani DiFranco começou a tocar violão, mas com apenas nove anos já tocava Beatles pelos bares de Buffalo; aos catorze compunha as próprias músicas; aos quinze se emancipou, passando a morar sozinha; e aos dezesseis formou-se pela Buffalo Academy for Visual and Performing Arts. E sabe mais o quê? Aos dezoito, enquanto a indústria fonográfica das chamadas majors era dominante, Ani lançou sua própria gravadora independente – a Righteous Babe. Será que as pessoas que nascem em Buffalo recebem a força do animal e levantam seus fortes chifres ar adentro? Não sei, mas no caso dela sei que eles sobem envergando-se em som e furando os ventos com notas musicais e crenças libertárias. Ani é prodígio.

Então, esta búfala guerreira, compositora, cantora, multi-instrumentista e empreendedora já lançou mais de vinte CDs pela Righteous Babe Records. Sua gravadora também já serviu de abrigo para outros artistas como Sara Lee, Utah Phillips e, entre outros, o irreverente Arto Lindsay (americano que morou por aqui durante muito tempo, produzindo com a nata brasileira como Caetano Veloso, Marisa Monte e outros). Quem é fã de Lenine a ouviu na faixa *Umbigo* do CD FALANGE CANIBAL.

Seu estilo é uma mistura de punk, folk, rock alternativo, rap, funk e hip-hop com leves pitadas de jazz. Entendeu? Uma coisa posso lhe garantir, a mulher tem força. Sua pegada no violão é única e seu estilo próprio é swingado, de arrepiar. Ani toca, sim, um violão agitado. Em sua mão direita encapa a ponta dos dedos com fitas negras formando uma espécie de dedeira para dedilhar as cordas de aço. Isso porque usa os dedos, e não uma palheta, para tocar. Para quem não sabe: se você usar sua própria unha nas cordas de aço, elas podem ser comidas até gastar. Seu estilo como instrumentista é caracterizado pela mistura de staccato (tipo de articulação que resulta em notas muito curtas), veloz fingerpicking (forma de tocar o violão sem palheta) e diversas afinações alternativas.

Quando morei nos Estados Unidos (no final do século passado) descobri-a e me encantei tanto com seu estilo que ela virou motivo de pesquisa em minha rotina. Ficava tentando reproduzir aqueles ritmos precisos, além de tentar descobrir aquelas afinações. Ani foi uma referência importante, pois foi a primeira mulher violonista que vi tocando com propriedade ao mesmo tempo em que cantava. Ela se apresentava sempre em pé e isso também serviu de inspiração. Conheci-a logo depois que vi pela primeira vez outra fera americana, Tori Amos, que me fascinou tanto quanto, ou ainda mais. Coisas do coração. Diante de Ani, todavia, percebi que meu corpo urgia por movimento e me libertei. Ampliei a postura. Sua força entrou por meu sistema muscular, nervoso e cardíaco. Minha alma agradeceu.

astor piazzolla

Eu estava com dezenove anos e cursava bacharelado em violão na UNIRIO (RJ). Não havia muito tempo que o grande compositor argentino Astor Piazzolla tinha visto meus irmãos tocarem. Se sensibilizou tanto com o virtuosismo dos dois que compôs uma obra inteira dedicada a eles. Depois que Sérgio e Odair gravaram *Tango Suíte*, a composição virou referência no universo do violão clássico e passou a ser praticamente obrigatória em todo o repertório de duos de violão no mundo.

Piazzolla se apresentaria naquela noite na Sala Cecília Meirelles, na Lapa (RJ). Eu era apenas uma universitária sem condições de comprar nada, muito menos ingresso para recital. A única vez que tinha entrado naquele teatro foi para assistir meus irmãos tocarem, e já fazia tempo.

Coloquei minha melhor roupa e peguei o ônibus. Em frente à grande porta da Sala, ousei bater como quem bate na porta da casa de amigos. Um guarda me atendeu e expliquei: "Sou irmã do Duo Assad e o Sr. Piazzolla dedicou uma música para eles". O guarda fez sinal para que eu esperasse e fechou a grande porta na minha cara. Fiquei ali tentando controlar a respiração e as batidas do coração que se aceleravam. Voltou outra pessoa para quem repeti a mesma história e de novo a porta se fechou. Algum tempo depois, ainda outra pessoa, falando em espanhol, veio conversar comigo. Eu, que não falava espanhol, continuei me aventurando e expliquei a mesma história gesticulando da melhor forma que pude. A porta novamente se fechou. Aguardei um bom tempo até que ela finalmente se abriu com um convite para eu entrar, pois Piazzolla me atenderia. O quê? Aí mesmo que tive de tampar a boca para que o coração não saltasse e eu o perdesse pelos corredores. Sentei-me onde me apontaram: na primeira fila, bem em frente ao palco. Eles ainda passavam o som e, ao terminar, Piazzolla desceu e sentou-se ao meu lado. Nossa conversa foi breve, mas ele, com um sorriso profundo, me convidou a assistir ao concerto e disse o quanto admirava meus irmãos. Orgulhei-me tanto que retribuí o sorriso, mas com a boca bem fechada para o coração não saltar em cima dele.

Sorri. Chorei. Foi um dos concertos mais lindos da minha vida. Piazzolla e seu grupo atingiam um lugar dentro de mim que eu não sabia existir. Eu descobria um tipo de oceano profundo, denso e de puro sentimento, com uma incessante e prazerosa carga dramática, como se houvesse enguias soltando descargas elétricas que me amorteciam. O violino de Fernando Suárez Paz derramava lágrimas e do bandoneon de Piazzolla além das profundidades saíam melodia, ritmo e harmonia impressionantes. Depois daquela noite, eu não era mais a mesma, pois tinha tocado as mãos de Piazzolla e ele havia plantado uma semente dramática em meu coração.

Astor Piazzolla nasceu em Mar del Plata, em 1921. Seus pais, porém, saíram da Itália e cruzaram o oceano até a Argentina. Então, acredito que o drama de sua música tenha vindo dentro dessa bagagem genética. Ainda criança, sua família mudou-se novamente. Nova York os recebeu e foi lá que o menino ganhou do pai seu primeiro bandoneon, aos oito anos.

Aos onze, compôs seu primeiro tango, *La Catinga*, e aos treze teve a oportunidade de conhecer o astro do tango Carlos Gardel, na ocasião de sua passagem por Nova York para rodar *El Día que me Quieras*, filme em que Astor atuou como um garoto entregador de jornais. Ao testemunhar o talento do menino, Gardel o convidou para integrar seu grupo e excursionar com ele pelo mundo, mas o pai de Piazzola não deixou. Parecia ter mesmo intuição aquele pai pois, sem saber, protegeu o filho do acidente sinistro que pouco tempo depois Gardel sofreu com toda sua equipe, num desastre fatal de avião na Colômbia (em 24 de junho de 1935).

Astor cultuou a percepção do pai e não perdeu as oportunidades que a vida lhe ofereceu. Dedicou-se incansavelmente à arte de estudar e foi dessa mescla de aprendizados e curiosidades que sua insaciável sede de aprender criou alicerce para a reinvenção do tango, com influências da música clássica e do jazz. Foram vários mentores que ampliaram sua visão musical, como o professor de piano Bela Wilde – discípulo do russo Sergei Rachmaninoff, que o ensinou a tocar Bach no bandoneon – ou o eminente compositor clássico argentino Alberto Ginastera, quando lhe deu aulas que trouxeram aos seus dedos Stravinsky, Bartók, Ravel. Depois foi a vez da lendária professora de composição francesa Nadia Boulanger, que lhe ensinou teoria harmônica e o contraponto, ensinamento fundamental para a criação de seus tangos inovadores.

Depois de muitas idas e vindas, Astor Piazzolla naturalmente inventou o novo tango. Foi ele o primeiro a se levantar, colocar a perna em um banco, apoiar o bandoneon em cima dela e transpassar. No começo os mais tradicionalistas torceram o nariz, mas sua escalada ao sucesso provou-se única e derradeira. Depois dele, a história do tango nunca mais foi a mesma.

BOBBY MCFERRIN

Um homem, um palco, um microfone e uma única voz. Será?

Ele entra, senta sozinho e uma orquestra inteira sai de dentro dele. Sim, sozinho. Mas como assim? Na verdade, seus pais eram cantores profissionais e, portanto, ele deve ter herdado seus genes para fazer uma mistura fantástica de sons barítonos e sopranos. Só pode ser! Inspira e começa. Na plateia, a respiração fica suspensa. Seria um show de mágica? Absurdo. Mas é isso mesmo. Tudo isso. Só que o show é musical.

Bobby McFerrin redefiniu a técnica vocal, cantando a melodia em falsete (tom falso no qual o cantor emite sons mais agudos que os de sua tessitura natural), e passeando pela harmonia com voz grave, enquanto batuca no peito para criar pulso rítmico. E haja pulso! O que ele na verdade cria é um efeito polifônico. Ele usa a respiração como efeito para o som nunca parar. Então, ininterruptamente, faz isso tudo, ao mesmo tempo. Como se fosse algo acontecendo em universos paralelos, tipo o filme *De caso com o acaso* (Peter Howitt, 1998).

Existe um ditado árabe que diz "Quem planta tâmaras, não colhe tâmaras!". Isso porque, antigamente, as tamareiras levavam quase cem anos para produzir os primeiros frutos. Atualmente, essa colheita é bem mais rápida, mas o ditado é antigo e sábio. Conta-se que certa vez um senhor plantava tâmaras no deserto quando um jovem o abordou: "Mas por que o senhor perde tempo plantando o que não vai colher?". O senhor calmamente respondeu: "Se todos pensassem como você, ninguém colheria tâmaras".

Bobby, assim como o plantio e colheita das tâmaras filosóficas, não se preocupou com o tempo e investiu nele, embora não soubesse ao certo o que colheria. Tinha aprendido com seu ídolo Keith Jarrett a possibilidade de inventar um som único, quando Keith começou a subir no palco e fazer shows completamente improvisados (o mais famoso é THE KÖLN CONCERT). Ele queria conquistar aquela singularidade também, sabia ser capaz. Sem pressa, mergulhou em uma pesquisa autodidata que não tinha prazo para terminar. Foram seis anos de dedicação total para colher as próprias tâmaras. Durante esse tempo, não ouviu nenhum outro cantor, para não sofrer influência. Devoção. Portanto, somente aos 32 anos (1982) lançou seu primeiro CD BOBBY MCFERRIN.

Todavia não foi neste trabalho ainda que se jogou totalmente sozinho em estúdio e cena. Como já esboçava a solitude plena, dois anos depois anunciou THE VOICE. Bobby realmente começou a chamar a atenção. Porém, foi somente com SIMPLE PLEASURES (1988) e sua despretensiosa *Don't worry, be happy* que se fez ouvir em escala mundial. Ele não imaginava que aquela simples canção invadiria as rádios do mundo inteiro. E que bom que ele a criou, pois, caso contrário, quem sabe? Talvez não tivéssemos seu incrível trabalho conhecido fora dos palcos de jazz. Todas as gerações depois dessa música se deleitaram com o alto astral que ela traz e se inspiraram, de uma forma ou de outra.

Don't worry, be happy traz aquele compromisso com a felicidade do aqui e do agora. Bobby filosofou com alegria e humor. Mas, não se preocupe, seu estilo virou objeto de estudo em todos os circuitos de curiosos por todo o planeta. Depois dele, muitos músicos se aventuraram pelo universo do canto livre e malabarista. Então, voltando ao ditado árabe, não importa se você vai colher, o que importa é o que você vai deixar. Cabe a nós cultivar e plantar ações que não sejam apenas para nós mesmos, mas que possam servir para todos e para o futuro. Bobby McFerrin, sim, virou referência.

Em 2008, ele veio ao Theatro Municipal de São Paulo e fui convidada para fazer um improviso com ele. Fui toda confiante, mas na hora tremi. Quando vi meu ídolo ali, de pés descalços, fiquei com a nítida impressão de que ele foi embora sem conseguir me conhecer. Pena, perdi minha oportunidade de contar tudo pra ele: "Bob, eu também! Eu também inventei um jeitinho meu de cantar! Muito obrigada por tudo e por toda a inspiração!". Mas amarelei. Tudo bem, vou continuar seguindo. "I won't worry, I'll be happy!"

Bola de Nieve

Ignacio Jacinto Villa Fernández nasceu em 1911 em Cuba. O rosto redondo e negro rendeu-lhe bem cedo o apelido de Bola de Nieve.

Quando criança, tinha sonhos de se tornar doutor em Pedagogia e Filosofia, mas a crise que levou à ditadura de Gerardo Machado (presidente de Cuba de 1925 a 1933 e general da guerra cubana pela independência) fez com que seus sonhos mudassem de rumo e passassem a suspirar por música, sua segunda paixão.

Quando o piano lhe deu confiança como instrumento de comunicação entre seus sentimentos e as outras pessoas, iniciou carreira musical como pianista de filme mudo no Cine Carral, na cidade onde nasceu, Guanabacoa. Porém, rapidamente percebeu que também tinha uma voz, e assim conseguiu trabalho como pianista e cantor no Cabaret La Verbena. Nesse novo universo conheceu a ilustre cubana Rita Montaner, já famosa internacionalmente, e com ela viajou pela primeira vez para fora de Cuba.

Aos poucos, Bola de Nieve foi desenvolvendo um estilo pessoal de tocar piano e cantar. Ora suas próprias composições, ora releituras de amigos compositores. Ele desenvolveu uma técnica tão precisa entre acordes e canto que os dedos e cordas vocais passaram a ceder lugar a seus sentimentos mais profundos. Bola se metamorfoseava no universo particular de cada canção. Como um verdadeiro ator, interpretava as músicas escolhidas como se ele mesmo fosse aquelas palavras, aquela cadência, aquela verdade. Ele dizia: "Eu não sou apenas um cantor. Eu sou a música que eu canto".

Bola de Nieve é mesmo como uma daquelas pequenas bolas de neve que, ao rolarem desfiladeiro abaixo, se transformam em algo gigantesco e poderoso. Ele entrava no palco, sentava-se à frente de seu inseparável piano, abria a voz rascante e crescia, deixando para trás todos os preconceitos que poderiam intimidá-lo. Quando subia ao palco, não era mais negro, baixo ou homossexual. Ele crescia tanto, que arrebatava qualquer fôlego. Suas interpretações já me fizeram chorar muitas vezes, porém a que mais viu meus olhos umedecerem foi sua gravação de *Vete de Mi*, do argentino Virgílio Expósito. Com certeza a mais definitiva de todas. Nenhuma outra performance de ninguém no mundo é tão profunda, bela e carregada de emoção quanto a dele. Coloque-a para ouvir e se prepare. Você vai se emocionar. É impossível ficar indiferente.

Bola cantava em várias línguas e em todas debulhava-se em muitos. Ele girou o mundo e o mundo girou aos seus pés. O papa do violão do século passado, Andrés Segóvia, era seu amigo pessoal e disse: "Ouvir Bola de Nieve é testemunhar a beleza das palavras unidas à música. A ele, mais do que impressionar, havia o interesse em se expressar, tocar a sensibilidade de quem o ouvia e isso, talvez, resuma o mistério de sua arte e de seu legado artístico".

Calypso Rose

Hannover, Alemanha. GemArts Masala Festival. Quando viajo nem sempre sei com quem dividirei o palco. Algumas turnês são muito longas e a cada festival os artistas mudam. Naquela noite eu me apresentaria solo para 600 pessoas apertadas como sardinhas e em pé, de boca no palco. Depois de mim seria ninguém mais ninguém menos do que "A Rainha do Calypso". Fiquei confusa ao saber daquela dobradinha. Por que eu sozinha e depois uma banda de calypso? Perguntei ao promotor e ele disse: "Mas é perfeito! Imagine 600 alemães musicalmente educados, todos suspensos com a sua apresentação [verdade, podia-se ouvir uma mosca voando de tamanho silêncio], em um mergulho profundo e emocionalmente denso, para depois comprar suas cervejas e esbaldarem-se em suor!". Fez sentido.

Naquela manhã, quando estava saindo do hotel, deparei-me com uma senhora negra saindo do elevador amparada por dois homens mais jovens. Desejei-lhes bom-dia e segui meu caminho. Mal sabia que aquela senhora era a tal "Rainha do Calypso". Quando já estava no teatro e a vi novamente sendo ajudada pelos mesmos dois rapazes até seu camarim, pensei: "Uau, como será que vai ser esse show?". Subi ao palco e durante uma hora dei o melhor de mim para aquela plateia atenta. Quando terminei, fiquei na coxia de butuca para assisti-la.

Calypso Rose (seu nome artístico) foi levada até a entrada do palco. A banda já havia começado a aquecer os corpos alemães quando ela foi praticamente solta dentro do palco. E daí algo inesperado aconteceu: aquela senhora que precisava de ajuda para caminhar pelos corredores desapareceu e uma persona entrou em cena. Não existia mais insegurança ou fraqueza. Existia uma mulher cheia de energia, encantamento, talento, voz incrível, bom humor e um alto astral contagiante. Calypso Rose, durante uma hora e meia, entreteve a plateia e colocou todo mundo para dançar ininterruptamente.

Como seria possível? É como se uma força invisível encarnasse nela. Acredito que os espíritos fiquem à sua espera na ribalta e quando ela encosta no palco eles a vestem em um tipo de conexão milagrosa. Ela devia estar com seus quase 80 anos quando aquele show aconteceu. Fico a imaginar como seriam seus shows quando era mais jovem!

Rose nasceu Linda McArtha Monica Sandy-Lewis, na ilha de Tobago, em 1940. O calypso já existia mas era proibido em sua casa, pois seu pai, reverendo batista, considerava-o música dos diabos. Somente depois, quando foi adotada pela família de um tio e se mudou para Trinidad, aos nove anos, é que entrou em contato com o estilo e foi completamente abduzida. Esse encontro se deu a partir de um gramofone que pertencia à alegre esposa do tio, mulher que, sem saber, moldaria seu futuro. Por destino, o gramofone só conhecia calypsos e acabou estimulando a pequena Linda a dançar sem reprovações. Aos poucos, aquela arte foi entrando como transfusão sanguínea e no futuro artístico embrenhou-se como propósito de vida.

Aos quinze anos, ela compôs seu primeiro calypso, *Glass Thief*, logo após ter visto um homem roubando os óculos de uma mulher em um mercado. Este é o primeiro calypso a denunciar a desigualdade entre os sexos. Ela revisitou o tema outras vezes, assim como abordou muitos outros. *No Madame*, por exemplo, critica o tratamento desumano que os empregados domésticos recebiam. Rose usou sua arte como política social e defendeu com unhas e dentes a liberdade criativa e o poder feminino. Ela compôs mais de 800 calypsos!

No começo de sua carreira (e já são mais de 60 anos), chamava-se Crusoe Kid. O nome Rose veio mais tarde por ser esta a flor-mãe de todas as flores, e era assim que ela se sentia, tendo adotado espiritualmente todas as mulheres calypsonianas que vieram depois dela. Afinal, Rose foi a primeira mulher a romper a barreira machista que definia o calypso como um estilo somente exercido por homens. Não foi sem muita determinação e coragem que ela conquistou esse espaço. Uma das primeiras feministas do arquipélago, com certeza. Quando abordada por membros religiosos que tentavam impedi-la de cantar, ela respondia: "Deus me deu de presente um talento e eu não quero ser como as virgens bíblicas que enterraram seus talentos e sonhos".

A primeira vez que Rose saiu da ilha foi em 1963, e a partir daí ganhou prêmios sem parar: Calypso King Contest, Humanitarian Award, Top Female Calypsonian, Ambassador of Culture, e por aí vai. Ela realmente havia se transformado em uma rainha.

Em 1966, Rose escreveu seu primeiro grande hit, *Fire in Me Wire*, que ficou dois anos consecutivos na crista da onda.

Porém, sua vida apresentou outros desafios. Em duas situações enfrentou o câncer e com determinação e alegria o venceu, nas duas vezes. Cheia de força, ela afirma: "Qualquer coisa que eu queira fazer, ninguém poderá me impedir. Talvez eu tenha artrite, mas se eu quiser andar, ninguém me impedirá. Eu quis me curar e me curei".

Li uma entrevista na qual a jornalista diz: "Quando conversamos, entrei em uma profunda viagem sobre descobertas pessoais enquanto ela falava sobre medos, desilusões e melancolias. Contudo, sua fé e sua profunda paixão pela vida me encorajaram a sorrir seu sorriso, com profunda simplicidade".

Rose excursionou nos anos 1970 com Bob Marley e quase 50 anos depois mostra-se ainda jovem, envolvida com novos talentos em parcerias, como o produtor e músico francês Manu Chao, no lançamento FAR FROM HOME, de 2016. Ela não perde o trem da vez, está sempre no primeiro vagão. Em 2016, aos 76 anos, recebeu o prêmio mais importante de uma das mais importantes feiras musicais do mundo, a WOMEX, como artista do ano.

É lindo presenciar uma vida fascinante como a dela. É realmente inspirador.

camila moreno

Algo ressoou em mim quando li o depoimento da chilena Camila Moreno na ocasião do lançamento de seu CD MALA MADRA: "Esse projeto me aproximou bastante de minha mãe. Uma mulher digna de admiração e capaz de viver à margem da sociedade. Tive uma infância muito cigana ao seu lado e vivemos muitos conflitos em minha adolescência, mas agora me dou conta de que ela era uma mulher livre e que soube lavrar muito bem seu caminho".

Obviamente não sou sua mãe, mas acho que ela poderia muito bem estar falando de mim. Então já me sinto unida a essa artista que agora, de longe, adoto, orgulhosa.

Camila, pensando bem, podia mesmo ter sido minha filha: ela nasceu em 1985, quando eu tinha quase dezenove anos, e aprendia a colocar o violão nas costas e desbravar o mundo, antes mesmo de descobrir que tinha uma voz e que amaria cantar também. Nessa época eu me dedicava principalmente às competições internacionais de violão. Já tinha conquistado um prêmio, aos quinze anos, como melhor violonista no Concurso Jovens Instrumentistas do Rio de Janeiro, outro quando tinha dezoito e fui eleita a melhor violonista brasileira no Concurso Internacional de Violão Heitor Villa-Lobos, também no Rio, e ainda outro aos dezenove, quando fui escolhida para representar o Brasil no Concurso Internacional de Violão Dr. Luiz Sigall, em Viña del Mar, Chile. País de Camila.

Vou mais fundo: dezessete dias antes de embarcar para Santiago, deparei-me com uma experiência, daquelas que bifurcam destinos. Na época eu tinha voltado para a casa dos meus pais no interior de São Paulo para dedicar-me exclusivamente aos estudos do violão, pois aquele concurso (o de Viña del Mar) era muito importante, e o repertório, dificílimo. Todavia, ao entrar no ônibus que me levaria à loja da antiga Varig na Avenida Paulista, em São Paulo, para pegar o bilhete aéreo, machuquei minha mão. Por sorte não a quebrei.

Lembro-me de sair correndo pelas ruas até chegar ao hospital e de lá sair com a mão toda enfaixada com a notícia de que teria que amargar dez dias assim, sem poder tocar. Uma semana antes de embarcar retirei as ataduras e me convenci de que deveria, mesmo assim, pegar aquele avião. Eu era a única violonista a ser convidada: eu, e não um homem. Aquilo era muito importante para mim na época, já que era irmã de dois incríveis violonistas homens e não haviam muitas mulheres (como ainda não há) no circuito violonístico.

Chegando ao Chile fui eliminada já na primeira fase, pois essas competições não permitem inseguranças. Por sorte, porém, aquele festival era diferente dos demais, pois patrocinava a viagem de todos os concorrentes e os mantinha na cidade durante todo o concurso, mesmo aqueles que se desclassificavam em suas três fases eliminatórias. Então pude, ao lado de outros dez desclassificados da primeira fase, e outros dez da segunda, mergulhar na cultura de todos os países que estavam presentes na competição. A cada noite havia uma festa no quarto de hotel de algum ex-concorrente, de algum canto do mundo. Foi maravilhoso. Na verdade, foi a primeira vez que interagi com artistas de outras culturas. Me senti totalmente livre, regada a bons (e baratos) vinhos chilenos, embalados em caixinhas daquelas de leite mesmo. Uma experiência de vida que mudou os caminhos de minha trajetória pessoal, artística e humana.

Quem sabe se eu tivesse decidido ficar por lá? Talvez, sim, Camila pudesse ter sido minha filha, já que foi no mesmo ano em que estive lá o ano em que foi gerada. Ufa!

Camila, assim como sua mãe, lavra seu caminhar. Já em seu disco de estreia causou polêmica, quando dedicou a canção *Millones* para o então presidente chileno Sebastián Piñera, avisando que "nem tudo é comprado com dinheiro". Sua letra diz: "Eles querem milhões... Milhões de almas em sua imensa conta". O disco é o AL TIEMPO MISMO, e com ele Camila jogou uma bomba no país, armada de suas canções.

Sua presença em cena é forte ao mesmo tempo que moleca. Com um rosto que me faz lembrar o de Björk, apresenta vídeos que trazem também um pouco das ambientações curiosas de que a islandesa usa e abusa. Mas, aos chilenos, sua voz, suas letras e seu estilo popular foram considerados uma continuação do legado da grande Violeta Parra, tida como a maior folclorista chilena da história. Uau!

Camila lançou apenas quatro discos em sua ainda curta trajetória, mas o de 2015 fala do arquétipo das bruxas, dos rituais e dos aspectos da humanidade que são reprimidos nas relações com a Natureza. Fala do incontrolável e da escuridão. Fala da integração da sombra coletiva feminina e de sua iluminação individual, atingida através da simbologia antiga da bruxa. Afinal, elas existem no interior de praticamente todas as culturas, embora não sejam totalmente aceitas. Representam sempre estranhos papéis e são comumente perseguidas, embora sejam também procuradas como conselheiras, curandeiras e consoladoras. Por meio delas, as pessoas encontram um elo com o mundo encantado, isto é, com uma realidade mágica que temem, ao mesmo tempo em que desejam.

Camila, assim, toca em um inconsciente coletivo e explora profundezas humanas. A primeira vez que a vi no palco ela estava grávida, trazendo no ventre um rebento que, ao certo, falará um dia sobre sua mãe ter sido uma mulher livre. E que também soube lavrar seu caminho.

Jake Shimabukuro

Ukulele e cavaquinho: primos bem próximos. Seus avós, rajão e braguinha, são instrumentos originários do norte de Portugal que, no século XX, cruzaram oceanos no colo de seus desbravadores. Esses pequenos viajantes sonoros eram bons aventureiros e, como tal, mesclaram-se, em cada porto, com realidades distintas, transformando-se em ilustres instrumentos.

No Havaí, em novembro de 1976, nascia uma criança que, mais do que nenhuma outra no mundo, faria os antepassados portugueses orgulhosos e o primo brasileiro envaidecido. Jake Shimabukuro ganhou seu primeiro ukulele quando completou quatro anos de vida. Parece até que sua mãe pressentiu que, se desse ao filho um instrumento que tivesse uma corda para cada ano de sua vida, algo especial aconteceria. E aconteceu.

Ele conta que desde que o ukulele entrou em seu quarto, não queria mais sair de lá. A mãe tinha que vir e tirá-lo para qualquer atividade que não envolvesse o pequeno amigo. Jake aprendia, à sua maneira, que fazer música era tão divertido quanto brincar, que inventar melodias era tão interessante quanto jogar bola. Jake acabou se transformando no músico mais bem-sucedido de toda a história do pequeno instrumento no mundo.

Mas não foi fácil galgar ao estrelato, pois até então o ukulele era um instrumento conectado aos sons havaianos, com suas saias de ráfia e colares de flores. A música de Jake era outra história.

Somente quando tinha 26 anos assinou um contrato para a gravação de seu primeiro CD, e isso não aconteceu no próprio país. Mesmo assim, Jake foi o primeiro havaiano a assinar com a cobiçada Sony japonesa. Porém, seus álbuns não eram distribuídos fora do Japão e ele não podia ter sua música disponível em outros cantos do mundo. Foi então que fundou sua própria gravadora, a Hitchjike Records, e levou seus lançamentos japoneses (e foram dez) aos

Estados Unidos, Havaí inclusive, para começar. Com esses lançamentos, recebeu vários prêmios e deu continuidade à disseminação de sua arte e do pequeno grande ukulele.

Praticamente todos os CDs que lançou foram laureados de alguma forma: melhor CD do ano, melhor disco instrumental, melhor disco de ukulele, melhor performance do ano etc. Porém, foi com o advento da internet que Jake viralizou.

Em 2006, teve um de seus vídeos caseiros, interpretando *While my guitar gently weeps* (The Beatles), postado no YouTube. Com esse vídeo, Jake e o instrumento passaram a circular por ambientes nunca antes imaginados. O ukulele deixava de ser apenas um instrumento havaiano para cair nas graças de outros círculos musicais como os do jazz, música clássica e pop. Logo depois, Jake começava a ser convidado para levar suas habilidades musicais para gravar com Béla Fleck, Yo-Yo Ma, Cindy Lauper, Ziggy Marley.

No início da carreira, foi chamado de "Jimi Hendrix do ukulele", já que quando toca o ambiente pega fogo. Se estivesse por aqui, poderíamos chamá-lo de "Armandinho do Havaí", pois seus dedos correm os trastes do instrumento com a mesma agilidade e competência de nosso querido baiano. Quando Jake entra em cena, vemos uma mistura de rock com virtuosismo e excelência. Sua performance é realmente memorável.

Usando pedaleira para criar efeitos e toda sua musicalidade para compor e arranjar qualquer música, ele mistura gêneros e cria estilo próprio. Para completar o brilho de suas conquistas, está sempre envolvido em projetos sociais, vislumbrando um mundo melhor para jovens por meio da música. Um deles é o Music is Good Medicine, que estimula o amor-próprio de adolescentes sem uso de drogas. Ele também se voluntaria para levar seu ukulele para alegrar velhinhos em asilos espalhados pelo mundo.

Certa vez, há muitos anos, tocamos em um mesmo festival em alguma cidade norte-americana, não me lembro mais qual. Ele, muito discreto, se aproximou de mim e pediu para que eu fosse vê-lo. Fui, e pude testemunhar que em cena ele era outra pessoa e que, por trás daquele humilde rapaz, existia um talento fenomenal.

JORGE DREXLER

Quando estou em São Paulo, raramente saio sozinha. Mas dessa vez tinha ido assistir *Diários de Motocicleta*, filme do cineasta brasileiro Walter Salles Jr. Era uma noite normal nos meados de 2004 e eu me orgulhava do ímpeto corajoso de sair de casa e entrar em um cinema de mãos dadas somente com minha curiosidade. O filme narra a história do estudante de medicina argentino Ernesto Guevara de la Serna, mais conhecido como "Che", que, ao cruzar a América Latina com o amigo Alberto Granado em sua motocicleta, se deparou com realidades até então distantes e que penetraram em sua alma como flechadas, passando a questionar a validade do progresso econômico que privilegia apenas uma parte ínfima da população. O resto da história é conhecida: Che Guevara transformou-se em um dos ideólogos e comandantes da Revolução Cubana (1953-1959), deixando de lado sua ambição inicial de ocupar-se da saúde humana para ocupar-se da saúde da sociedade.

O filme já tinha me comovido bastante, porém, somente ao final, quando aquela voz começou a cantar, é que a emoção tomou conta e meus olhos transbordaram. Aquela canção conseguia, de uma forma profundamente simples, falar das escolhas éticas e morais que devemos fazer ao longo da vida. Voz e violão, de forma absurdamente suave, filosofavam sobre algo tão denso e fundamental. Imediatamente uma necessidade de aprender aquela canção me inundou. Estou falando de *Al otro lado del río*, do compositor e cantor uruguaio Jorge Drexler.

Somente uma personalidade de oceano profundo poderia compor assim, pois quando ouvimos Drexler somos transportados por um barco seguro em um mar intrínseco e belo, com direito a ondas festivas, mas nunca revoltas.

No ano seguinte, assisti por acaso ao exato momento em que Prince, ainda na crista da onda do bem-sucedido lançamento do CD

MUSICOLOGY, anunciava *Al otro lado del río* como vencedora de melhor canção na entrega do Oscar. Ao subir ao palco para receber o prêmio e agradecer, ao invés de discursar textos já escritos, Jorge cantou trechos de sua canção. Sem saber de nada, achei o momento lindo e pensei "realmente esse cara tem personalidade".

E tem mesmo. Só no dia seguinte soube que não tinha sido ele o intérprete de sua própria canção na cerimônia. Curiosa, fui assistir à apresentação de Carlos Santana e Antonio Banderas, escolhidos para substituí-lo. Entendi que a escolha se devia ao fato de Jorge não ser conhecido o suficiente para se apresentar na maior festa do cinema norte-americano. Então, seu agradecimento cantado havia sido uma forma de protesto, suave e profundo como ele e sua música. Assim, o mundo perdeu a grande oportunidade de conhecer a verdadeira canção quando Santana metralhou notas desnecessárias e pesadas enquanto Banderas tentava não carregar na interpretação, arriscando um flamenco leve. Uma pena, pois por mais que eu adore Santana e Banderas, ambos se distanciaram da sutileza original. Enfim, Jorge saiu com o Oscar nas mãos, levando a primeira estatueta da história da Academia (fundada em 1927) oferecida a uma canção em espanhol, assim como colocou o Uruguai no mapa da música internacional.

Mas quem é essa pessoa com jeito de quem poderia te acalentar em noites frias? Filho de mãe uruguaia e pai judeu alemão fugido do holocausto, Jorge encontrou nessa mescla a fonte de seu próprio estilo, misturando a cultura sul-americana materna (candombe, murga, milonga, tango, bossa nova) – com o que Caetano Veloso bem descreve na canção *Língua*: "Se você tem uma ideia incrível, é melhor fazer uma canção; está provado que só é possível filosofar em alemão" – algo que deve ter herdado do pai.

No entanto, antes de se tornar músico profissional e sair conquistando o mundo, Jorge seguiu a carreira dos pais e se formou otorrinolaringologista. Dr. Drexler, porém, percebeu que sua veia médica não era mais forte do que a musical e, assim como Che Guevara, transformou suas ambições iniciais de ocupar-se da saúde humana em algo mais subjetivo. No seu caso, porém, o cuidado não é com a saúde da sociedade, e sim com a da alma.

Larry Coryell

Larry Coryell faleceu na manhã do dia 9 de fevereiro de 2017. Não sei dizer quantas mensagens recebi durante aquele dia e nos posteriores. Quem sabia de meu histórico com ele sabia que eu estaria triste. Meu carinho e admiração por ele não são apenas por sua maestria musical, mas também, e principalmente, pelo incrível ser humano que se revelou durante nossos poucos anos de convivência.

Explico: em 2002, David Chesky (da Chesky Records, minha primeira gravadora) me contatou oferecendo proposta para a criação de um trio de violões que seria formado por duas lendas do jazz e eu. Tremi. Eu mal tinha voltado a tocar violão (depois da recuperação dos movimentos de minha mão por conta da distonia focal), e estava sendo convidada para um trio de violão com feras do jazz? Bom, ao mesmo tempo eu precisava voltar a trabalhar. Então disse que aceitaria, mas que tinha uma condição: a de me deixarem livre para fazer tudo o que quisesse com minha voz e meus badulaques, além do violão.

Com a resposta positiva de todos, seguimos com o projeto. Trocamos e-mails durante quatro meses e desde o começo ficamos todos encarregados de compor músicas para o trio. Eu, do lado de cá, inventei umas sequências harmônicas e fui lentamente escrevendo. Do lado de lá, não chegava nada. Dois meses tinham se passado e somente eu mostrava algo concreto. Há menos de um mês da gravação recebi uma música do Larry, e mais uma, e foi só. John (Abercrombie) nem levantou a caneta. Também, eles eram reis no quesito improviso, como seria diferente?

Viajei para Nova York sem saber ao certo o que aconteceria, já que não sou uma improvisadora no violão *at all*! Ensaiamos durante dois dias e basicamente todas as ideias que tive foram gravadas. Uau! Eu não esperava por isso! Fiquei toda orgulhosa. Não improvisei no violão, mas deixei a voz solta para brincar por aqui e por ali. Toquei marimba, flauta de cobre e fiz percussões corporais e vocais. Uma festa.

Como consequência do lançamento, começamos a excursionar com o trio. Agora, imaginem, Larry e John tinham vivido no auge do jazz em Nova York. O que eles tinham de histórias de bastidores era algo sensacional. Eu ficava, durante as viagens, ouvindo aquelas histórias e os imaginando vivendo naquele tempo. Eles eram bem mais velhos do que eu, e eu estava ali, com acesso a uma verdadeira escola da vida. No palco, eu me sentava ao centro, enquanto John à minha esquerda e Larry à direita. Bem equilibrado.

Nossas viagens eram repletas de risadas e memórias. Apesar de me divertir muito com o John e de ter tido momentos profundos em nossas performances em duo, com minha *Suspended Circles*, com Larry sempre houve mais sinergia. Algo além da música e dos bastidores. Talvez porque ele tivesse se convertido ao budismo (e eu, apesar de não ser budista, me identifico muito com a filosofia)? Ou porque era mais dinâmico? Talvez porque tornei-me amiga de sua esposa Tracey, que tinha quase minha idade e viajava conosco? Talvez porque não tenha uma resposta objetiva e sejam assuntos de alma?

Posso descrever vários momentos em que experienciei aulas profundas com Larry. Mas vou lembrar de uma das mais importantes para mim: em nossa apresentação havia sempre um momento solo de cada um. Naquela noite, Larry tinha decidido tocar uma música sua com alguns harmônicos (quando se encosta o dedo da mão esquerda suavemente sobre alguma corda do violão, num lugar específico, enquanto com a mão direita a dedilha. O resultado é um som bem agudo, o chamado harmônico). Pois bem, por três vezes acontecia esse harmônico durante a música. Na primeira vez, Larry não conseguiu produzi-lo, errou mas continuou. Na segunda vez, errou novamente e prosseguiu. Na terceira, ele acertou. E não é que parou de tocar, abriu os braços para o céu e soltou um desabafo bem alto: "Graças a Deus!" Eu e toda plateia começamos a rir e a descontração foi total. Para todos um momento de conexão humana, mas, para mim, um ato de libertação fenomenal! Em meu processo de estudo do violão erudito o erro não é permitido. Então, eu vivia prisioneira do perfeccionismo. Aquele ato do Larry me trouxe alforria. Para sempre.

Outra lembrança: se por acaso no teatro ou clube que estivéssemos tocando não tivesse nenhum produtor local para vender nossos discos, ele mesmo os colocava debaixo do braço e passeava pelo público oferecendo. Então, se ele pode, também posso eu! Nunca mais tive esse tipo de pudor.

Larry nasceu no dia 2 de abril de 1943. O que o faz do signo de Áries, e são essas algumas das palavras chaves que definem o ariano: iniciativa, coragem, dinamismo, obstinação. Então concluo que ele, com certeza, era um bom representante zodiacal.

No início dos anos 1970, Larry foi um dos responsáveis pela invenção do novo estilo musical jazz fusion, quando começou a incorporar ao jazz elementos do rock. Ele era assim, um jazzista com a energia do roqueira.

Nosso disco THREE GUITARS é o número 65 entre os quase 90 que gravou. Ele era incansável.

Em uma de nossas turnês pela Europa, em 2004, eu estava lendo o livro de Dan Brown, *O Código da Vinci*. Curiosamente, nosso percurso traçava praticamente o mesmo que a história do livro, em busca do Santo Graal. Já tínhamos estado em Paris e agora era a vez de Milão, com a Igreja Santa Maria delle Grazie e o famoso afresco de Michelangelo, A Última Ceia. Era minha oportunidade de ver com meus próprios olhos os mistérios escondidos por trás daqueles sinais. Na vida real, liguei para saber os horários de funcionamento da igreja, que virou um museu, já que ficaríamos quase nada em Milão. A resposta, contudo, não foi muito positiva, pois no primeiro dia do concerto os horários não eram compatíveis com nossa passagem de som. Porém, somente um dia por ano, todos os museus e lojas de Milão ficam (ou será que ficavam?) abertos durante 24 horas ininterruptas. E, para minha grata surpresa, seria exatamente no dia seguinte! Não acreditei! Sinal de que realmente eu não poderia passar por ali sem testemunhar as reflexões da última ceia.

Então, no dia seguinte e logo após o término do show, umas duas horas da madrugada, despenquei para o museu e Larry me acompanhou. Ele não tinha lido o livro, mas, sabendo do que se tratava, ficou curioso também. Ficamos aproximadamente duas horas na fila durante a madrugada, com tempo o suficiente para conversas filosóficas. Quando entramos, a igreja era silenciosa e gelada, mas nossos corações se incumbiram de aquecer a pele. Foi uma experiência mística impressionante. E Larry estava lá.

Pouco antes de sua morte, estávamos trocando mensagens para fazermos mais um projeto juntos. Não deu tempo. Mas Larry deve continuar tocando suas mil escalas para anjos se deleitarem, enquanto aqui na Terra fico com esse carinho imenso que eternamente estará vivo em mim.

Lila Downs

Frida Kahlo nasceu em 1907, filha do imigrante alemão Guilhermo e de Matilde, mexicana nascida no estado de Oaxaca.

Sessenta e um anos mais tarde, também em Oaxaca, Anita, ao lado do inglês-americano Allen, deu à luz Lila Downs.

Frida e Lila não chegaram a coexistir no mesmo tempo e espaço, pois quando a pequena Lila deu seu primeiro choro Frida havia morrido catorze anos antes. Apesar de suas formas de expressão serem distintas, há similaridades que as conectam. Além de serem mexicanas da mesma região de Oaxaca, elas são mestiças, indígenas com europeus, usam vestimentas que afloram as raízes mexicanas, são importantes referências internacionais da cultura de seu país e usam suas artes, a pintura de Frida e a música de Lila, como formas de compartilhar sentimentos e pensamentos ativistas.

A porção musical do caldeirão Downs veio da mãe Anita, cantora de cabaré. Posso bem imaginar a pequena Lila sendo influenciada por sua música-alegoria. Não foi à toa que aos oito anos já tinha sido abduzida pelas rancheiras e músicas tradicionais e cantava com os mariachis, começando a balbuciar o que no futuro se tornaria estilo.

Na adolescência, porém, começou a inquietar-se com as diferenças culturais e materiais de onde havia crescido. Incomodada com suas raízes indígenas e em estado de revolta, mudou-se para a cidade em que o pai nascera, no estado de Minnesota (Estados Unidos). Pintou os cabelos de loiro e foi seguir a legendária banda Greateful Dead, mas não resistiu. Por entre os longos solos psicodélicos de Jerry Garcia escutou o chamado de seus antepassados. Rendeu-se e foi estudar antropologia.

Depois de terminados seus estudos, decidiu retornar a Oaxaca. Ao fazer a mala, novos elementos foram incluídos, elementos esses fundamentais para a formação futura de uma das artistas mais significativas de sua geração. Além dos conhecimentos antropológicos, Lila também levou na bagagem o músico, diretor artístico e futuro marido Paul Cohen, companheiro que sempre a incentivou e deu suporte para sustentar suas criações.

Lila compõe a maioria de suas músicas. Um som dançante que nos provoca o movimento. Mas, ao chacoalharmos o corpo, a mente ascende, pois junto ao som vem temas provocativos como exclusão indígena, migração, discriminação, assim como assuntos mais pontuais como o massacre de Acteal (chacina de 45 indígenas tzotziles que estavam rezando em um templo naquela cidade) e o assassinado da defensora mexicana de direitos humanos, Digna Ochoa.

Lila mistura música tradicional mexicana com jazz, hip-hop, blues, rock, folk, raggae. Canta em mixteco, zapoteca, maia, purépecha, nahua, espanhol e inglês. Com nove discos gravados (entre estúdios e ao vivo), já ganhou vários Grammys americanos e latinos.

Frida Kahlo misturava realismo com fantasia e fincou presença na história da Arte, instigando o mundo com suas pinturas autobiográficas, que traziam à tona assuntos como questões de identidade, gênero, classe social e racismo.

Lila poderia bem ter sido a filha que Frida tanto almejou mas que nunca pariu em seu apaixonante e conturbado romance com o também pintor mexicano Diego Rivera. Não importa, a influência de Frida veio pela corrente cultural que trouxe nas veias sangue quente e apaixonado pela vida.

Curiosamente, assim como Frida, Lila também não conseguiu realizar o sonho de ser mãe, mas adotou o pequeno Benito. Quem sabe não aparecerá outra menina, em posteriores anos, vestindo roupas tradicionais, floridas, vivas e mescladas de sentidos para dar continuidade aos questionamentos básicos, ao orgulho da origem indígena e levando a arte mexicana para os quatro cantos do mundo? Quero estar aqui para testemunhar.

Frida e Lila: ambas sensuais guerreiras e mulheres que mesclam matizes de sua terra.

ROY ROGERS

O nome Roy Rogers pode lembrar o ator nascido em 1911, que se maestrou na arte do cinema como caubói. Mas estamos falando do blueseiro nascido em 1950, o menino que, ao ver Robert Johnson pela primeira vez, sentiu um batimento blues começar a clicar em seu coração.

Como Rogers já era o sobrenome familiar do mais jovem, a família achou simpático chamá-lo também de Roy. Em 1990 os dois foram nomeados, em categorias diferentes, ao Grammy e puderam afinal se encontrar pessoalmente. Foi quando o mais novo declarou faceiramente: "Agora posso dizer que visitei o topo da montanha, pois finalmente tenho minha foto com o Roy original!"

Mesmo a psicodelia aflorada dos anos 1960 (que atraiu guitarristas como Carlos Santana e Jerry Garcia, do Grateful Dead) e o movimento hippie que fervia na Califórnia não foram suficientes para roubar o jovem músico das graças do Delta Blues. Roy nasceu californiano, mas quando apaixonou-se pela slide guitar adotou o coração delta e transformou-se em um dos maiores magos do instrumento, do mundo.

Em minha própria trajetória artística nunca fui muito ligada ao blues, nunca me dediquei profundamente a ouvi-lo. Mas é impossível ficar indiferente, pois blues é sentimento. Os americanos, quando querem se referir à tristeza, dizem estar se sentindo "blue". Afinal, sua aparição está ligada ao final da escravidão nos Estados Unidos, no alvorecer do século XX. E, portanto, traz esse sentimento profundo, inerente aos antigos escravos que provavam a liberdade recém-adquirida.

Com o tempo aprendi que existem outras variações do blues, incluindo as que se misturam ao country e ao folk. Além disso, descobri que existem tipos diferentes de músicos/violonistas que se dedicam ao estilo: aquele que toca de um jeito muito simples, porém tão apaixonado que torce nosso coração como roupa antes de ir para o varal; e um outro cujos dedos pipocam pirotecnias que nos entorpecem. Há, porém, o sliding blues de Roy, que, de alguma forma, une essas duas vertentes, expondo técnica articulada ao mesmo tempo em que secamos ao Sol.

Roy é virtuoso e extremamente sensível. Apesar de já trazer projetos de sucesso em seu currículo no início da carreira, foi quando trabalhou como guitarrista e produtor do lendário John Lee Hooker, um dos maiores bluesman de todos os tempos, que sua trajetória fincou pés nos palcos da história. Na verdade, John Lee Hooker disse: "Eu simplesmente não sou capaz de dizer coisas boas o suficiente sobre Roy. Ele é genial. É um dos melhores slideman que já ouvi. Roy é realmente profundo e funky, e domina tudo que interpreta".

Mal percebi, mas um dia eu estava lá, em sua belíssima casa, no meio de uma reserva florestal em Grass Valley, norte da Califórnia. No meio da decoração divertida, composta de memorabilias do Roy Rogers ator, ensaiamos para entrar no estúdio de gravação poucos dias depois, em Sausalito. E, melhor ainda, como convidada dele.

Vou contar: em 2012 comecei a trabalhar com sua esposa Gaynell. Na verdade eu estava, dois anos antes, na festa de comemoração do encerramento do 3º Festival Internacional de Música Corporal em São Paulo, na casa do Fernando Barba, quando tudo começou. No meio da euforia, todos começaram a cantar e a *jam session* cresceu. Do meu lado estava Sam, um americano que fazia de sua voz o que bem entendesse e que me hipnotizou. Em nossa conversa trocamos informações e comentei sobre estar procurando novo empresário nos Estados Unidos. Um tempo depois ele me escreveu dizendo que a esposa de seu pai, Gaynell, podia muito bem ser essa pessoa. Escrevi para ela e acabamos assinando contrato. Eu nem desconfiava de quem ela era esposa.

Mas nos conhecemos e Roy teve a ideia de criar um grupo chamado Stringshot (nome dado ao jato de teia que o Homem-Aranha lança de seus pulsos). Pensou em um trio com ele tocando slide guitar, o incrível paraguaio Carlos Reyes na harpa e violino, e eu com as cordas de náilon e voz.

Roy já havia escolhido uma de minhas músicas, *Saudade Verdade Sorte* (em parceria com o carioca Pedro Luís, sem a parede... rs, presente em meu CD AMOR E OUTRAS MANIAS CRÔNICAS) para engrossarmos o repertório do trio. Porém, além de virar sua parceira de estúdio e palco, virei também de composição, quando me propôs criarmos juntos *Wounds of Sight* e *Back Along de Way*.

Nos tornamos amigos. Ele é muito generoso, brincalhão, observador, sagaz. Quando estamos juntos a risada é natural e ao lado dele aprendo novas formas de sentir a música. Seu blues não é daqueles tristes, mas cheios de luz e vida. Com *Stringshot* ele nos propõe a ejetar teias de alegria e contentamento por aí.

Ao mesmo tempo sinto que, ao seu lado, estarei sempre protegida pois se acaso for preciso, posso bem imaginá-lo pulando de parede em parede para me salvar. Roy conserva juventude em sua alma e leva colorido por onde passa. Afinal, deve ter absorvido algo de seu xará galã caubói, que ficou conhecido por fazer filmes tecnicolor enquanto outros westerns eram ainda em preto e branco.

Sarah McLachlan

Não me pergunte o porquê, pois a história é longa, mas eu estava morando em Dayton (Ohio, Estados Unidos) quando o telefone tocou me convidando para participar do cobiçado Lilith Fair: primeiro festival itinerante composto somente por mulheres nos Estados Unidos. Diz a lenda medieval judaica que Lilith foi a primeira mulher de Adão, então o título fazia sentido. Porém, no imaginário da criadora, a canadense Sarah McLachlan, foi uma forma de combater o preconceito machista pois sofria todas as vezes que era recusada a participar de um programa de rádio ou grande evento se tivesse outra mulher no *lineup*. Como artista e mulher, ela revidou, mas de forma inteligente. Pôs a cara para bater, arrumou a saia, apertou ou tirou o sutiã, não sei bem, e foi à luta. Durante seus três anos de vida, o Lilith Fair teve o mesmo sucesso, inclusive financeiro, dos mega festivais com bandas predominantemente masculinas como o Lollapalooza.

Até então eu não a conhecia muito bem. Com o tempo a descobri uma artista muito sensível. Mesmo inserida no cenário da música pop internacional, ela nunca deixou de se manter suave, expondo sensualidade natural.

Sarah foi adotada, ainda muito menina, pela família McLachlan. Esta mesma que incentivou seus anseios musicais e a educou com amor. Não li isso do amor em lugar nenhum, mas sei que uma infância harmoniosa contribui para um adulto emocionalmente maduro. Anos mais tarde ela foi apresentada à mãe biológica, e não ficou chocada, nem fez qualquer tipo de drama. Sua inteligência emocional havia sido tocada. Apesar de toda sua fama como cantora, compositora, pianista e empresária de sucesso, ela mantém-se simples e generosa.

Sempre engajada, já doou montantes significativos para entidades filantrópicas distintas, como as que resgatam e cuidam de animais de rua (ajudou a arrecadar 30 milhões de dólares para a ASPCA – American Society for the Prevention of Cruelty to Animals), organizações que cuidaram dos sobreviventes dos tsunamis nos Estados Unidos e Ásia, a Live8, que acompanhou o G8 Summit para pressionar as nações mais ricas do mundo a perdoarem a dívida africana na luta contra a pobreza, e outras que se dedicam ao cuidado de pessoas com HIV; entre outras causas, essas foram as mais significativas. Além das contribuições, ela mantém uma escola de música em Vancouver, a Sarah McLachlan School of Music, com bolsas de estudo integral para crianças e jovens em situação desfavorável.

Para exemplificar ainda mais seu empreendedorismo social: ela usou o vídeo de sua canção *World on Fire* para sensibilizar adolescentes. Como? Bem do jeito Sarah de ser: com apenas uma câmera parada à sua frente, ela canta vestindo jeans, de pés descalços, cabelo e rosto naturais, quase nunca olhando para a lente e sem qualquer truque de filmagem. Apenas ela e uma câmera parada. Durante a exibição do vídeo vão aparecendo informações na tela sobre como o orçamento de 150 mil dólares, que seria destinado à sua produção, poderia ser usado por países do terceiro mundo, caso fosse dividido. E é muita coisa. A última frase que se lê na tela é: "E o orçamento da produção deste vídeo foi destinado a essas nações". É um tapa na cara de muita gente. Inclusive na minha, pois me obrigou a acordar para as possibilidades positivas de como agir perante o caos moderno e toda a desigualdade desumana. Ela fez cair a ficha de que não é preciso de muito para agir. É só estarmos abertos às oportunidades, e não pensarmos que temos pouco a oferecer.

Como compositora, ela escreveu uma canção que se espalhou mais do que outras. *Angels* foi escolhida para adornar o par romântico entre a mortal interpretada por Meg Ryan e o anjo de Nicolas Cage no filme *Cidade dos Anjos*, de Brad Silberling. A música é doce e nostálgica, assim como sua voz e interpretação.

Lilith Fair era composta por três palcos espalhados em uma arena aberta gigante, cheia de barracas vendendo comes, bebes e artigos hippies. Uma alegria! Todas as noites acontecia uma grande festa no palco principal com as cantoras destaques dos três palcos.

Geralmente essa escolha era feita antes do dia do festival. Apesar de não deixar de me imaginar com elas, meu nome não estava na tal lista. Todavia, antes do meu show acontecer, respeitosamente e como forma de agradecimento, me apresentei à Sarah e a presenteei com um cocar indígena, desses nossos coloridos e nobres. Ela agradeceu, o colocou na cabeça e ficou assim durante todo o tempo em que estive em seu camarim. Acho que a pajelança surtiu harmonia, pois no final da tarde recebi o convite para subir no grande palco também, ao lado de Sheryl Crow, Indigo Girls, Lisa Loeb, Shawn Colvin e a própria Sarah, entre outras. Não posso dizer qual música fizemos, pois a sensação de cantar para uma multidão de mais de 40 mil pessoas me ofuscou a memória.

Sarah é uma artista que não traz nariz empinado e nenhum tipo de arrogância, essa intolerável mania de certos artistas acharem-se superiores. Não são. Somos todos feitos da mesma carne e do mesmo osso, mudando a cor da pele aqui, a cor do olho ali, o gosto musical, mas é somente isso, uma questão de paleta. Em quesitos de alma e espírito, estamos todos aqui a evoluir, e tenho certeza de que Sarah joga nesse mesmo time, imbuída de filosofias que valorizam a evolução humana e espiritual.

Minha participação no festival aconteceu em uma tarde de 1999, um pouco antes de uma outra cantora que viria se transformar, num futuro não muito distante, em uma das mais conhecidas do mundo. Naquela tarde, compartilhamos o camarim e a vi se maquiar. Ela subiria ao palco imediatamente após minha apresentação. Ela era ainda muito jovem e confesso ter achado bizarro quando precisou ir ao banheiro e um homem a levou como criança, cravada nas costas. Ela cantaria que era um gênio dentro da lâmpada, baby, seu primeiro hit. Estou falando de Christina Aguilera, mas essa já é outra história...

tori amos

Eu morava nos Estados Unidos quando, em uma tarde descompromissada, liguei na MTV e levei um susto! Literalmente, fiquei até incomodada. Aquela mulher cantava de uma forma e levava as mãos ao piano de um jeito que eu nunca tinha visto antes. Enquanto abria a perna em direção à plateia, encostava os lábios no microfone, quase lasciva. Pensei: "Essa mulher sabe o que está fazendo e deve conhecer o piano muito bem para ter essa liberdade toda". Fui pesquisar. Sim, Tori Amos estudou, e muito. Quando nasceu, foi batizada Myra Ellen e levaria anos para que adotasse outro nome.

Com apenas quatro aninhos, começou a tocar piano e aos cinco já compunha. Teve, assim como eu, um pai que a incentivou como artista. E como isso faz diferença! Quando completou treze anos, o reverendo Dr. Edison McKinley Amos, pastor metodista, aceitou, para dar asas ao futuro da filha, uma proposta de trabalho um tanto inesperada: tocar em um bar gay. Agora, imagine você, ele devia levá-la em uma das mãos enquanto na outra carregava a bíblia. E, assim, Myra Ellen cresceu por entre conselhos religiosos e beijos escondidos.

Com 21 anos, fez as malas e se mudou para a grande Los Angeles, atrás do sonho do primeiro disco. Passaram-se três anos até que encontrasse morada. A gravadora Atlantic Records ofereceu-lhe um contrato, porém o acordo era para que fosse vocalista de uma banda techno-pop. E foi assim, disfarçada de roqueira, que mudou o nome para Tori e lançou o trabalho Y KANT TORI READ. Embora o título pareça bizarro, ela já começava a querer sair da superfície. Y Kant Tori Read também pode ser "I can't Tori read", "eu não posso Tori ler", em tradução livre. Mas analiso: Immanuel Kant foi uma das figuras centrais da filosofia moderna, sintetizando novos conceitos sobre o racionalismo e o empirismo. São seus pensamentos "Felicidade é algo moralmente irrelevante" e "Todos os seres humanos são capazes de distinguir o bem do mal". Então, na minha opinião, ela deu um truque na gravadora quando inventou o título, pois deve ter combinado a irrelevância moral da felicidade de Kant com o fato de que, de alguma forma, mesmo que inconsciente, sabia que aquilo tudo era uma grande fraude.

Todavia, naquele mesmo ano – e para completar o circo do insucesso que o lançamento teve –, ela sofreu uma experiência perturbadora que ampliou a gama de suas experiências incomuns. Com uma faca no pescoço, sentiu o futuro suspenso quando se viu sequestrada e violentada. Depois de solta, e para não perder a sanidade, mergulhou dentro de si mesma e renasceu a Tori Amos que conhecemos. Com a mente submersa, criou um universo paralelo no qual contradições e jornadas pessoais pudessem viver em harmonia. Foi assim que inventou linguagem própria e um jeito peculiar de combinar palavras, desenvolvendo liberdade poética profunda e singular. Falou sobre deus, espantou seus demônios, criou fantasias, recitou crenças e falou de amor, tudo através de imagens surreais e impressionistas. Cada vez que ela sobe ao palco, sobe como se fosse a última. Sua presença em cena passou a hipnotizar.

Tori foi a primeira mulher a levar o piano para a música pop como instrumento líder, gravou algumas dezenas de CDs entre álbuns e bootlegs; vendeu milhões de cópias (interessante ressaltar que sua música não é tão popular assim. É profunda demais para isso. Então, esse número já diz muito sobre ela e suas canções), foi candidata várias vezes ao Grammy; fundou o RAINN (Estupro, Abuso e Incesto em Rede Nacional), que já ajudou muitas mulheres, principalmente nos Estados Unidos, e tem em sua agenda uma média de 200-250 shows por ano!

Ouvir Tori é como descascar uma cebola, você chora, ri, descobre camadas. Ao final, acaba constatando que aquele tempero todo vai criar o prato mais exótico do dia. E, para alguns, da vida. Tori tem uma legião de fãs que a acompanham pelo mundo há anos, e já são mais de 30, só de carreira.

Depois daquela descompromissada tarde em Nova York, me levantei pela primeira vez para tocar enquanto cantava. Eu também tinha todo aquele conhecimento sobre meu instrumento. Não poderia me conter mais nos limites de um cantinho e um violão. Tori foi um marco na minha vida artística. Certa vez fui chamada pela revista Downbeat de "Tori Amos from Ipanema". Fiquei lisonjeada. Em 2006, gravei sua *Black Dove* em WONDERLAND como minha sincera homenagem.

yma sumac

Enquanto nos desertos da Líbia o dia 13 de setembro de 1922 registrava a mais quente temperatura da história do planeta – 57,7°C – nas altas montanhas do Peru nascia uma descendente do último imperador inca Atahualpa. Yma Sumac também veio quente. A diferença é que sua fumaça aqueceria a história da música no mundo.

Yma nunca estudou canto, porém desenvolveu sua voz como uma profissional. Por ser autodidata e livre de academicismos, teve liberdade e sensibilidade para assumir como legítimos professores a Natureza e seus variados pássaros, ventos uivantes e seres elementares.

Curiosamente, no horóscopo chinês ela é uma mulher de Cão: pessoa de temperamento inquieto com tendências explosivas. Esta explosão se deu na beleza altiva e na voz vulcânica. Vê-la e ouvi-la é um experimento sensorial. Uma viagem às profundezas da Terra.

Eu tinha uns 25 anos, e era começo dos anos 1990, quando entrei em contato com sua música pela primeira vez. Chapei. Nunca tinha ouvido nada igual. Aquela voz parecia sobre-humana!

A canção se chamava *Chuncho* e nela não havia palavras, apenas sons onomatopaicos imitando a Natureza em todas as suas matizes, graves e agudas. Algo completamente experimental e vanguardista para o início dos anos 1950. Tudo bem que naquela década tínhamos John Cage e outros músicos iniciando o movimento da música experimental, enquanto o rock'n'roll surgia como um dos maiores movimentos populares do mundo, mas Yma estava isolada e de alguma forma canalizava essas ondas e as misturava em seu próprio caldeirão.

Quando ouvi *Chuncho*, senti uma conexão atávica inexplicável. Talvez tenha sido esta a primeira vez que a semente da exploração vocal foi plantada em meu inconsciente.

Na adolescência, Yma mudou de sua cidade natal para Lima com objetivo de ir à escola, e foi lá na capital peruana que, em 1949, conheceu Moisés Vivanco, um notável músico que moldaria sua carreira inicial – e com quem se casaria e de quem se divorciaria, duas vezes.

Por sorte, Yma surgiu em um momento em que o Peru prestava atenção às raízes indígenas, com a ampla disseminação que as maravilhas arqueológicas de Machu Picchu vinham conquistando. Assim, havia espaço para a música andina ser ouvida e Yma encontrou terreno fértil para se expressar e alcançar reconhecimento nacional. Porém, seus sonhos eram maiores e, em 1946, se mudou com o marido para Nova York em busca de progresso. Enquanto se apresentava pelos clubes de jazz da cidade foi descoberta pela gravadora Capitol Records e, com sua tessitura de quase cinco oitavas, estava pronta para explodir.

O jornal *Los Angeles Times* disse: "Yma Sumac não tem semelhança com nenhuma música peruana conhecida. Seus álbuns soam como uma trilha sonora para um épico da selva dos anos 1950, com melodias que imploram por um pouco de rum num copo cerâmico polinésio. Irresistível".

O resto é história: Yma apareceu em musicais da Broadway (*Flahooley*) e filmes hollywoodianos (*Secret of the Incas*, estrelando ao lado de Charlton Heston). Sua música foi usada na trilha de filmes como *O Grande Lebowski*, dos irmãos Cohen, e *Confissões de uma Mente Perigosa*, dirigido por George Clooney, para citar alguns. Foi incluída também em shows como Quidam, da incrível trupe canadense Cirque Du Soleil, ou ainda repaginada nas mãos de músicos como The Black Eyed Peas. Mais tarde, seu estilo ainda foi absorvido pela lounge music, tendo assim longevidade garantida.

Há quem diga que Yma poderia ter sido somente uma nota no rodapé da história se tivesse continuado como cantora popular, assim como há os que dizem que se não fosse a potência por trás da gravadora Capitol e as histórias mirabolantes de seu passado inca e de seu resgate pelas perdidas montanhas peruanas ela não teria se transformado em mito com uma legião de fãs devotos.

Fato é que a combinação de sua beleza, música incomum e altivez conquistaram um lugar ao sol, e eu me rendo aos poderes desta princesa inca, uma lenda com direito a fantasias e boas doses de euforia.

ásia &

oceania

E M P I R E
NANKING
KYANG NAN
HOANG HAY
COREA
FOKYEN
Formosa
CANTON
Canton Ila.
Return in 1767
MARI
Gulf of TONKIN
TONKIN
Luconia or Luzon
PHILLIPINE ISLANDS
Manilla
Mindoro
Samar
Mindanao
P A C
O C
THE
PELEW ISLES
GULF of SIAM
MALACCA
Paragua or Palawan
Sooloo Sea
Borneo
Celebes Sea
Gilolo I.
Banjar Massin
Macassar
Timor
Java
JAVA
Christmas
S L A N D S
E R A N
Endeavour
Capt. Cook
Carpentaria
Land of Endracht
Red Point
N E W
H O L L A N
APRICORN

anoushka shankar

Anoushka, nascida em 1981, é filha do grande mestre da cítara, o indiano Ravi Shankar. Uma mulher linda. Poderia facilmente ser cantora como a meia-irmã Norah Jones ou modelo profissional, mas preferiu dedicar-se, assim como o pai, à música instrumental. Quando ela entra no palco, descalça e vestida com trajes tradicionais indianos, reverencia antepassados. Senta-se como se fosse meditar, abraça a cítara e a dedilha com propriedade. Sua técnica e carisma invejáveis mantêm viva a música clássica indiana que Ravi, tão impressionantemente, apresentou ao mundo.

Quando tinha sete anos, o pai começou a ensinar-lhe música e, além de professor, passou a ser o guru da menina que, anos mais tarde (2003), se transformaria na artista mais jovem da história, assim como a primeira mulher a ser indicada ao Grammy na categoria world music (com LIVE AT CARNEGIE HALL, seu terceiro CD). Apesar de não ter recebido o troféu, a coroação foi de alguma forma realizada, pois foi assim que se estabeleceu como solista, independente das asas familiares.

Sua primeira apresentação profissional aconteceu quando tinha treze anos, durante a celebração dos 75 anos de Ravi Shankar, em Nova Délhi. A pequena Anoushka, nascida em Londres, com certeza passou a infância e a adolescência de forma diferente das amigas londrinas, pois ao invés de se interessar por assuntos comuns a todas, ficava estudando cítara e ragas (música clássica indiana). Agora, se você já ouviu alguma raga, sabe quão transcendental ela é.

Conseguiu imaginar?

Uma menina imbuída por um som devocional. Realmente é preciso ter disciplina interna e almejar a excelência. É como se ela estivesse, paralelamente à escola convencional, tendo um tipo de estudo angelical, aprofundando-se na espiritualidade irradiada pela música. Não foi à toa que, três anos depois de sua estreia, assinou o primeiro contrato com uma gravadora chamada... Angel! Seu magnetismo já era evidente.

Muito cedo Anoushka aprendeu que a cítara produz um som ininterrupto por trás da melodia e que ele exerce um poder hipnotizador. Um transe meditativo, nos conectando com a elevação do espírito. Um tipo de licor para a alma. Nesse estado contemplativo nos religamos com o que há de mais belo em nós.

Além de citarista, ela também passeou pela literatura, com o livro *Bapi: The Love of My Life*, uma biografia de seu pai; pelo cinema, como atriz do filme *Dance Like a Man*; e pelo jornalismo, tendo sido colunista semanal do maior jornal indiano, *Hindustan Times*, por um ano.

Como representante autêntica da mulher moderna, vive antenada com a atualidade. Todavia, também continua o legado deixado pelo pai (falecido em 2012), caminhando além das mesclas que ele se propôs a fazer. Anoushka mistura música clássica indiana com eletrônica, flamenco, jazz etc. Ao que parece, tudo aquilo que vibra seu coração é investigado por ela. E assim afina-se com seu tempo (e)levando sua espiritualidade, para buscar equilíbrio na dramaticidade caótica dos tempos modernos. Precisamos de mais artistas assim no mundo, concorda?

DAVID BROZA

Abril de 2003. Eu estava no estúdio Mosh, em São Paulo, gravando VERDE. Entre uma música e outra o celular tocou e era meu agente norte-americano, Itzik Becher, todo empolgado, me avisando que na noite seguinte outro artista que ele representava, o cantor-violonista-compositor israelense David Broza, se apresentaria em São Paulo! "Você precisa conhecê-lo! Vou deixar seu nome na lista de convidados, ok?". "Ok", respondi. Não anotei nada, pois minha cabeça estava na gravação de uma canção e outra.

Meu dia seguinte foi inteiro dedicado à sessão fotográfica para a capa do disco. Para quem não sabe o que isso significa, explico: é fisicamente exaustivo. Quando terminou a sessão fui direto, com o que havia sobrado de mim, para o Clube Hebraica de São Paulo, já atrasada. Quando cheguei lá não conseguia, por nada deste mundo, lembrar-me do nome do tal músico. Ao chegar à lista de convidados, deveria dizer que era convidada do "???". Daí, disse: "Eu sei que ele toca violão!".

Ao mesmo tempo vi alguém cruzar ao fundo usando uma camiseta escrito David Broza. Quando vi o nome, lembrei: "Foi ele! Foi ele quem me convidou!" "Ah!", me olharam com certo desdém enquanto entregaram o convite. Ele não era apenas um violonista da banda, ele era "o" violonista e "o" cantor da banda. Ele era "o" cara. Como eu não podia saber quem era? Entrei sozinha no clube, sem imaginar que encontraria outras 3 mil pessoas que o aguardavam ansiosas.

Perguntei a alguém da produção se poderia dizer um "oi" para o David antes do show, pois estava bem cansada e teria mais gravação no dia seguinte. Me levaram até seu camarim.

Bateram na porta e um homem de traços fortes, esguio, alto e muito bonito a abriu. Em seu pescoço, um lenço. Nos reverenciamos e com um sorriso largo ele disse que já tinha ouvido falar muito bem de mim. Sorri ruborizada. "Muito simpático este tal de Broza", pensei. Fiquei impressionada com seu violão, que era todo marcado e tinha até furo no tampo de madeira! Não ousei perguntar nada sobre isso naquela noite. Desejei-lhe um bom espetáculo.

Não tenho palavras para dizer o que foi o show. Quando aquele homem, de quem eu mal lembrava o nome (já rimos muito disso juntos depois), entrou no palco e começou a cantar, absolutamente todos conheciam suas músicas e cantaram com ele numa idolatria inesperada, pelo menos para mim. Fui para casa um tanto envergonhada por não saber que me encontraria com um astro pop!

Passados alguns anos, Itzik me convidou para dividir um show com ele em Los Angeles. Teríamos que preparar algo para tocar juntos. Cheguei ao teatro um pouco antes do normal para ensaiarmos. Tocamos o *Estudo nº 1*, de Heitor Villa-Lobos (eu não fazia ideia de quão bom violonista ele era!) e cantamos *Asa Branca*, de Luiz Gonzaga. Uau! Anos depois nos encontramos novamente em Sidney (Austrália) para outra apresentação. Era como se o tempo não tivesse passado, pois havíamos estabelecido uma amizade musical. Dessa vez, arrisquei uma *Garota de Ipanema* com o galã judeu.

David Broza foi criado ouvindo de Jimi Hendrix a Charlie Parker e Bob Dylan, o que acabou influenciando sua formação musical sem fronteiras. Além disso, aprendeu dentro de casa que a paz entre palestinos e israelenses era não somente possível como absolutamente necessária. Seu avô já havia criado um assentamento Israel-Palestina em Haifa, cidade onde nasceu.

Com essa formação polivalente e humanitária, a música de Broza veio para cruzar barreiras, ajudando a superar divisões geopolíticas e culturais. Ele não se considera um artista judeu, mas um artista que é judeu e que tem uma missão. Ele foi o único músico judeu-israelense, por exemplo, apresentado na rádio Voice of Palestine. O programa educacional Givat Haviva, que reúne jovens árabes e judaicos, em parte deve sua viabilidade financeira ao apoio de David. Ele também se tornou Embaixador da Boa Vontade do UNICEF.

Já adulto e sedento por continuar atravessando limites, morou nos Estados Unidos e na Espanha, onde foi influenciado pelo flamenco.

Com mais de 25 álbuns lançados, gravou nas línguas que absorveu durante suas andanças e descobertas: hebraico, inglês e espanhol.

Mais do que cantor, violonista e compositor, David tornou-se conhecido por seu compromisso e dedicação a vários projetos humanitários. Desde 1977, quando sua música *Yihye Tov* alcançou o sucesso, ele trabalha para promover mensagens pacificadoras. A letra da música fala que as coisas serão melhores e sobre a necessidade de restabelecer a harmonia mundial.

Com vários álbuns multiplatinados em seu currículo, David continua na missão de levar a paz através da música.

P.S.: Quanto ao furo no tampo de madeira, o rasgueado do flamenco que David desenvolveu faz com que ele bata naturalmente as unhas no tampo de madeira e, como aquele é o único violão com que ele toca e roda há décadas, ficou evidente a razão. Não precisei perguntar!

GILLI moon

Falar de Gilli Moon não é algo muito simples. Ela fez, faz e vai fazer tanta coisa que ficamos zonzos só de imaginar. Tem gente que a conhece como cantora e pianista, já tem os que a veem como compositora e pintora, e ainda outros que a relacionam como escritora, coach de música, life coach, empreendedora, apresentadora de TV, dona de gravadora, palestrante e, como se não bastasse, mãe dos gêmeos Natalie e Jackson.

Quando a encontramos pessoalmente, deparamos com uma mulher de apenas um metro e cinquenta e poucos centímetros, mas com uma potência criadora tão grande que a desloca para o topo do mundo. Principalmente no universo da música independente, da qual se tornou rainha, fazendo questão de espalhar e compartilhar suas descobertas tanto em livros (já lançou três), quanto online.

Gilli nasceu em Sidney, Austrália. Aos quatro anos de idade começou a aprender piano, aos oito a cantar e dançar e aos dez compôs sua primeira canção. Na adolescência, descobriu o teatro e era escolhida para ser protagonista praticamente de tudo em que se envolvia, desde Dorothy (*Mágico de Oz*) até Oliver (*Oliver*), já que não encontraram um menino que atuasse melhor do que ela.

Com passaporte para o mundo, foi parar em Nova York, onde acreditava estar sua carreira. Tinha como meta a Broadway, pois trazia todos os requisitos para os grandes musicais. Todavia não fazia ideia de que as terras do Tio Sam tinham outros planos para ela. Inquieta, resolveu continuar buscando. O destino a levou para Roma e, em pouco tempo, já trabalhava como assistente de produção da ópera Tosca, que tinha à frente nada mais, nada menos que o tenor Plácido Domingo e o maestro Zubin Mehta. Ela não tinha nem 22 anos.

Porém, o chamado dos aborígenes cutucou seu peito, conduzindo-a de volta à Austrália. Para sua surpresa, a viagem revelou outro propósito: o de constatar que o que ela queria mesmo era sentir-se no olho do furacão. A Austrália era comportada demais para seus desejos de aventura em erupção. Fez malas e nelas colocou cilindro de ar comprimido (para mergulhos profundos), máscara antipoluição (para grandes metrópoles), repelente urbano (para espantar humanoides), foguete (para alçar voos altos) e partiu em direção à terra dos anjos.

Em Los Angeles deu de cara com várias portas fechadas, mas não se deixou abater. Para cada uma, inventou uma janela. E foi por esses espaços entreabertos e vários contratempos que iniciou a grande aventura na arte de superar-se e na beleza do autoconhecimento. Foi somente então que abraçou a força interior da guerreira nata adormecida. Armada de cara, coragem e microfone, se inspirou em alguns desbravadores da arte independente, como a cantora e fundadora da Righteous Babe Records, Ani DiFranco, e engrossou o caldo que acabava de entrar na fogueira. Gilli, portanto, foi uma das primeiras a lançar trabalho independente nos Estados Unidos também. Estamos falando dos anos 1990, quando gravadoras ainda controlavam praticamente 100% do sucesso (ou não) de um artista, por meio de seus contratos leoninos. As gravadoras independentes eram ainda apenas névoa no horizonte.

Gilli abriu seu próprio selo, Warrior Girl Music, e com ele lançou seis álbuns próprios, assim como dezesseis de outros artistas. Lançou também algumas compilações, entre elas a série de três projetos chamada FEMALES ON FIRE, celebrando 100 mulheres de todos os cantos do mundo. Esse projeto acabou se ampliando e virando uma plataforma online dedicada às mensagens de empoderamento feminino, igualdade humana, amor, comunicação e vitalidade. Sua missão é criar, produzir e promover a visão artística e criativa dos artistas que estão ao seu redor. Servindo como guia para a concretização de seus sonhos e incentivando-os ao *do it yourself* (DIY), ou faça você mesmo.

Como pintora, já criou capas de alguns discos e levou ao palco sua "SensuArt", quando pinta ao mesmo tempo em que se apresenta ao vivo.

Gilli virou referência para uma geração inteira de artistas independentes. Ela não foi somente uma das primeiras a ensinar sobre o assunto, mas também a ajudar a compreensão e a disseminação de formas alternativas de divulgar trabalhos independentes. Seja pela engenharia de plataformas online ou na elevação da autoestima, a mulher é pioneira. Também foi ela a primeira a treinar artistas para serem independentes e criativos estrategistas empresariais. E não parou por aí: em 1997 lançou a organização não governamental Songsalive!, que tem como missão encorajar o relacionamento de diferentes gêneros musicais, criando uma morada online para troca de conhecimentos, parcerias, workshops, eventos, palestras, conferências etc.

Eu a conheci na ocasião em que morei em Los Angeles, em 1997, para gravar CHAMELEON. Logo depois ela fez backing vocal em meu NOWHERE, e eu fiz em seu WOMAN. Porém, nos perdemos de vista quando retornei ao Brasil em 2000. Naquela época, ela ainda não tinha se transformado em guru do mercado independente. Mal sabia eu que algum dia precisaria dela.

Em 2004, casei-me com Dimitri e, em 2007, nasceu nossa primeira e minha única filha, Sofia. Com essa novidade impressionante da maternidade, diminuí bastante o ritmo da carreira e também das gravações. No entanto, quando quis retornar à cena para registrar o que havia gestado durante aquele período (foram praticamente seis anos sem gravar nada e tinha composto umas 200 músicas!), percebi que havia perdido o fio da meada com relação aos rumos que a indústria fonográfica havia tomado. Bati em portas conhecidas e desconhecidas, mas a resposta era sempre muito aquém do meu vislumbre e necessidade. O mercado tinha mudado enquanto eu trocava fraldas e eu não tinha percebido.

Lembrei-me da Gilli e de que na época em que a conheci ela já havia lançado um trabalho independente. Resolvi procurá-la. Sete anos haviam se passado desde que havíamos conversado pela última vez. Eu não fazia ideia do quanto ela tinha evoluído. Descobri, então, que não somente ela poderia me ajudar a entender o mercado independente, como poderia me ensinar a montar um plano de negócios, abrir meu próprio selo, minha própria editora, gravar, produzir, lançar, divulgar e fazer o marketing do meu próprio produto. Com encontros mensais (pelo Skype), ela me ensinou tudo até eu ser liberada para seguir sozinha. E segui. Foi libertador ao mesmo tempo que empoderador.

Gilli Moon parece compartimentalizar seu cérebro em quartos grandes, arejados e, se bobear, com varandas voltadas para o mar. Cada ambiente, lógico, com escrivaninha e computador (com HDs reservas) e muitos fios que se conectam com seus outros cômodos, numa web interna impressionante. Para dar conta de todos esses espaços, com suas funções específicas, ela cuidadosamente organiza, arregimenta, inventa e faz bonito em todo novo puxadinho que decide para sua grande casa mental.

Gilli não é somente uma artista musical e/ou da indústria da música, ela é uma artista da vida.

Homayoun Shajarian e Sohrab Pournazeri

Quando o cantor Homayoun Shajarian abre a voz é como se estivesse construindo tramas para a tecelagem de um tapete persa legítimo, no qual a liberdade de cores vivas e dos motivos são cuidadosamente elaborados. É como se o desenho de ondas profundas, rosas e cravos, raízes e cascas se entrecruzasse formando um cobertor para aquecer nossos espíritos. Sua voz sobe e desce em uma velocidade tão rápida que nos confunde e por segundos pensamos que uma flauta rascante tomou conta dos nossos ouvidos. Seu canto aflora com força penetrante e suspende o ar. A intensidade de olhos cerrados e técnica impecável nos leva ao alto de montanhas assim como à profundidade de dores que nem sequer imaginamos. Um ato de oração, redenção ou algo assim.

Quando Sohrab Pournazeri toca seu tanbur parece incorporar a própria alma do instrumento. Explico: o tanbur é considerado o antepassado de todos os instrumentos de cordas do mundo e remonta a milhares de anos. Até o século XX, o instrumento era considerado tão sagrado que não devia ser tocado para não seguidores do yarsanismo, corrente religiosa de raiz muçulmana fundada no século XIV, cujo objetivo é alcançar a verdade suprema. O yarsani acredita que o Sol e o fogo são elementos sagrados e seguem os princípios de equalização, pureza, justiça e unicidade.

Quando Sohrab toca seu tanbur, ele sai de seu corpo em um transe tão profundo que nos carrega junto. Não sei para onde ao certo, mas a um lugar de êxtase com certeza. É praticamente impossível não viajar com ele e não ser contaminado por sua energia visceral. É como se ele mesmo fosse este sol e este fogo, clamando por justiça e unicidade.

Homayoun e Sohrab nasceram na época da Revolução Islâmica (1979) e da guerra Irã-Iraque (1980) e, portanto, devem ter vivido dissabores de guerra e opressões religiosas. Mas se refugiaram em si mesmos.

O primeiro professor de Homayoun foi o próprio pai, o grande Mohammad Reza Shajarian, mestre indiscutível do canto persa tradicional (clássico), considerado um tesouro nacional tanto por músicos quanto por apaixonados da música. Na juventude, Homayoun se formou pelo Conservatório de Música de Teerã.

Sohrab também veio de berço musical. Música era sua língua materna. Ele a aprendeu como outras crianças aprendem a falar. Também foi seu pai, o conceituado músico Keykhosro Pournazeri, seu primeiro mentor.

Com apenas dois anos ele já tocava o tanbur do pai e cantava poesias do teólogo sufi Muhammad Rumi. Aos treze já começava a se apresentar. Aos dezenove recebeu diploma de bacharel em música pela Faculdade de Artes da Universidade Sooreh, em Teerã. Prodígio.

A música clássica do Irã está intrinsicamente ligada a poesias escritas por poetas sufis medievais e funciona mais como uma ferramenta espiritual do que uma atividade recreativa. As composições podem variar imensamente do início ao fim, e geralmente alternam entre peças lentas, contemplativas e exibições virtuosísticas.

No palco a presença física dos dois artistas reflete opostos que se atraem. Enquanto Homayoun se concentra em placidez, Sohrab se concentra em catarse, e assim se complementam. Porém, independentemente de suas distintas personalidades, quando se encontram abraçam a rica herança iraniana, bem como suas qualidades profundamente meditativas. Juntos transcendem os limites do país, conseguindo cruzar fronteiras e levar sua arte e força para muito além de religiões e políticas.

Huun-Huur-Tu

Sincronicidade é algo que sempre me impressionou bastante. Em alguns momentos da minha vida pude comprovar sua existência e isso sempre trouxe um sentimento de pertencimento, conexão e alegria de viver. Testemunhando uma transparente e verdadeira rede, entrecruzando vidas e eventos.

Quando eu tinha dezoito anos entrei na faculdade para estudar violão, mas aos dezenove já começava a excursionar, tocando em duo com a belga Françoise-Emmanuelle Denis. Nosso duo se chamava Le Due Romantique. E assim comecei a viajar internacionalmente. Quando completei 21 anos, acabei abandonando o estudo acadêmico, pois ou eu continuava ininterruptamente o projeto faculdade, ou me dedicava ao projeto estrada. A segunda opção venceu. Me mudei do Rio de Janeiro para a capital paulista e dei continuidade à minha carreira.

Algum tempo depois, fui fisgada pela beleza do uso da voz como instrumento e entrei num estado eufórico de pesquisa. Não existia a facilidade da internet e tudo era feito com muita dificuldade e lentidão. Porém, em uma de minhas viagens ao Rio, encontrei-me com a Sheila, amiga da faculdade. Para minha surpresa, ela estava participando do meu antigo grupo de canto coral e harmonia, que, após a minha saída, começou a pesquisar o quê? Recursos vocais. Há três anos era isso o que faziam. Meu coração se encheu de alegria, pois a tal sincronicidade me indicava estar no caminho certo. Ela me deu de presente cópias e cópias de fitas cassete. Algo que me custaria anos para colecionar!

Em muitos momentos fiquei admirada diante daquelas fitas. A voz era realmente algo inacreditável. Porém, uma das que mais me impressionou foi a de um grupo russo que cantava emitindo dois sons simultaneamente: um grave quase gutural, servindo como nota base/fundamental, para outro que flutuava, como um tipo de assobio bem agudo que lembrava o som de uma flauta. E o mais incrível é que eles conseguiam controlar a afinação desses agudos entoando melodias inteiras! Pirei. Eles faziam algo impossível e, claro, eu queria fazer também! Depois aprendi que essa técnica se chama throat singing e, em português, canto difônico. Anos mais tarde, encontrei alguém que me ensinou o mistério da técnica, em uma de minhas muitas viagens. Apesar de ter aprendido muito toscamente, confesso, consigo fabricar os harmônicos e assim posso realmente mensurar o grau de dificuldade.

Porém, em alguns cantos do mundo, essa forma de cantar é natural e usada até como meditação. Aquele grupo que ouvi na fita cassete é proveniente de Tuva, uma pequena república da Federação Russa, e se chama Huun-Huur-Tu. Por favor, não me pergunte a pronúncia! Sei apenas o significado: raios de Sol ou "A separação dos raios de luz que se pode ver nas pastagens logo após o nascer do Sol ou imediatamente antes de ele se pôr".

Dizem que o canto difônico surgiu como uma forma de imitação da Natureza. A visão animista (crença de que tudo tem uma alma e espírito, inclusive os animais, plantas, rochas, montanhas, rios e estrelas) dos povos dessa região identifica o som da Natureza como espiritualidade. Isso para ilustrar o nível de energia telúrica que trazem em suas melodias, ritmos e conteúdo.

O grupo foi fundado em 1992, por Sasha Bapa, seu irmão Sayan e dois outros músicos, Kaigal-ool e Albert Kuzevin. O grupo usa instrumentos tradicionais, mas também passeia por instrumentos ocidentais, como o violão e até um pouco de música eletrônica.

Mudando de cena: 30 anos depois fui me apresentar no Shanghai World Music Festival, em 2014. Minha primeira visita à China. Foram três shows e um deles aconteceu no Lujiazui Central Green Space, uma grande área verde cravada no centro de Pudong, rodeada por inúmeros arranha-céus moderníssimos. O cenário por si só já era de arrepiar. Durante a passagem de som, eu soube que logo depois de mim se apresentaria um grupo de cantores difônicos.

Acabando minha apresentação, corri para a frente do palco. Qual não foi minha surpresa: eles subiram ao palco e não era um grupo qualquer, eram eles. Eram aqueles irmãos! Aqueles da fita cassete! Cambaleei. Eu os idolatrava havia 30 anos! E foram arrepios e mais arrepios. Confesso ser inexplicável a sensação que tive quando a noite chegou e os neons de todos os edifícios começaram a acender. Você consegue se colocar na minha pele? Lá estava eu, assistindo aquele grupo misterioso, com seus fundadores originais, cantando aquele canto gutural, rústico, animista, e tendo como cenário um dos lugares mais modernos do mundo.

 Eu pulei, dancei, cantei, gritei, chorei. Quando acabou o concerto fui até o camarim e pude abraçá-los e dizer pessoalmente: "Vocês sempre existiram em um lugar especial dentro de mim, mas agora este lugar não é apenas algo fictício, vocês são reais. Obrigada por tudo". Me despedi e voltei para o hotel. Esses momentos dão sentido à vida. Pude fechar os olhos e sonhar com montanhas, pássaros, cavalos e os cantores de Tuva, que, na manhã seguinte, me deram um CD autografado enquanto nos despedíamos. Haja coração!

KODO

O grupo japonês Kodo se apresentou em São Paulo no começo dos anos 1990, e não fazia muito eu havia trocado a capital carioca pela paulista. Quando morava no Rio e cursava graduação eu tinha, como estudante de música, direito a convites para assistir espetáculos gratuitamente no Theatro Municipal do Rio de Janeiro. Uma maravilha. Fiquei muito bem acostumada.

Sendo assim, meu olho sempre corria pelos jornais em busca de novas aventuras sonoras. Quando fui assistir ao concerto sabia que se tratava de um grupo de taiko e que eram muito bons, mas o que eu não sabia era que tocar o taiko (nome dado a uma ampla gama de instrumentos de percussão japoneses) não era apenas tocar bem. Naquela noite, sem saber nada antes, descobri, enquanto os músicos davam golpes em tambores pequenos, médios, grandes e enormes, que não era apenas uma viagem musical. Era também espiritual. Eu não imaginava ser possível atingir tamanha profundidade e densidade através da música. A performance deles era impressionante!

Em japonês, a palavra "kodo" tem duplo significado. O primeiro é que pode ser traduzida como "batimento cardíaco", a fonte primordial de todos os ritmos. De fato, pensa-se que o grande taiko é uma reminiscência dos batimentos cardíacos de uma mãe, como no útero, e que os bebês são muitas vezes adormecidos por essas vibrações estrondosas. Se lido em um outro contexto, "kodo" também pode significar "filhos do tambor", o que reflete o desejo do grupo de tocar os tambores com o coração de uma criança. O grupo Kodo é sem dúvida o maior responsável pela disseminação da arte do taiko internacionalmente.

A história do taiko se entrelaça com a do povo japonês. Considerado sagrado desde a Antiguidade, os tambores foram utilizados pela primeira vez para expulsar espíritos malignos e pragas prejudiciais à lavoura. Acreditava-se que, ao imitar o som do trovão, os espíritos da chuva seriam forçados a agir. A essência do taiko está em associar a arte do tocar com a disciplina da mente e do corpo, além de desenvolver concentração e respeito pelos tambores, pelos mestres e pelo espaço onde o praticam, chamado dojo. É por isso que os músicos se reverenciavam toda vez que entravam em cena. Tudo começava a fazer sentido.

Fascinada por aquela arte, fui pesquisar e os depoimentos do mestre Seiichi Tanaka me explicaram: "Como desafio e objetivo primordial, o músico tem que se sentir em unicidade com seu espírito e com o do tambor. Quando você fica ao lado do tambor, seu corpo deve estar relaxado, mas aterrado e cheio de poder espiritual. Sinta a energia que vem da Mãe Terra através do fundo dos pés, enchendo seu corpo inteiro, sentindo seu KI (energia vital) enquanto estende as mãos para o seu bachi (baqueta). Seu bachi não está separado do seu ser, na verdade é uma extensão dele. Se esta conexão não acontecer, sua ação e o som do tambor não terão vida".

Foi assim que entendi que aquele concerto era, na verdade, uma celebração à vida. Por isso eu podia sentir a energia vibrando por todo o ar que os circundava e eu percebia meu coração em êxtase. Além disso, todos os músicos se apresentavam vestidos com o fundoshi, aquela vestimenta típica japonesa, tipo fio-dental. Então imagina aqueles corpos trabalhadíssimos, pois é necessário um rigoroso treinamento físico para desenvolver a habilidade de tocar os tambores, seminus e de costas para a plateia. A gente podia ver cada músculo das costas trabalhando enquanto reverenciavam os tambores e percutiam magistralmente as peles animais. Algo de primitivo se conectava e a beleza da bravura do Kodo me invadiu.

Na cidade onde moro hoje há um grupo de taiko. Não são muitos no Brasil, mas em Atibaia (interior de São Paulo) tem! Certa vez, em uma das apresentações do grupo, pude pegar uma das baquetas e tocar o gigante tambor. Vou te contar, é preciso muita força e energia para emitir um som sequer daquela preciosidade. Se tivesse tempo, estudaria sua arte para ampliar o encontro com o divino, assim como para aprender uma forma de combinar música com meditação, musculação, dança e reverência à Natureza. E tudo isso simultaneamente! Para os tempos modernos e acelerados, fica a dica!

LORDE

Quando criança, a cantora neozelandesa Lorde talvez não imaginasse que viria ao mundo para reinar. Mas veio. Hoje ela é considerada uma das mais influentes jovens do planeta pelas conceituadas revistas norte-americanas *Forbes* e *Times*. E não deixa por pouco, pois é consciente de seu papel como formadora de opinião. Como exemplo, participou de um vídeo oficial para encorajar jovens a votarem nas eleições gerais da Nova Zelândia, em 2014. E, vamos combinar, jovens precisam de líderes jovens pensantes, certo?

Introduzida à leitura pela mãe poeta Sonja Yelich, Lorde teve acesso a uma vasta e rica literatura desde muito menina. Foram autores como M.T. Anderson, Janet Frame, Salinger e Carver, entre outros. E assim sua linguagem amadureceu antes do tempo.

Mas Lorde não é como um fruto colhido verde e amadurecido longe de suas raízes, devendo ter a casca lustrada para reluzir em prateleiras. Ela amadureceu jovem porque aprendeu cedo a lidar com suas emoções e a transportá-las para uma folha de papel em branco. Quando chegou às prateleiras do mundo, chegou com sua tez branca e limpa, sem artifícios, com beleza nativa e vasta cabeleira. Lorde é Lorde. Linda.

Em seu primeiro e estrondoso sucesso, *Royals*, ela critica a sociedade fútil, o olhar raso, a superficialidade de corações avultados pelo dinheiro e pelo sucesso exterior. Não se chega a essa conclusão sem algum tipo de estofo emocional. Provavelmente seus ancestrais croatas e irlandeses, somados à força cultural dos nativos maoris, lhe injetaram doses de interligação entre povos e a fizeram respeitar diferentes poderes e crenças. Quem sabe também não tenha chegado à sua sensibilidade infantil vultos de alguma lição perdida do filme *O Piano*, da diretora neozelandesa Jane Campion (1993)? Quem sabe?

Em 2012, com apenas dezesseis anos, ela disponibilizou gratuitamente suas canções no Soundcloud. Quando o EP THE LOVE CLUB foi baixado 60 mil vezes, os olhos da gravadora UMG se arregalaram e oficialmente viraram parceiras. No ano seguinte, veio *Pure Heroine*, que lhe rendeu o Grammy como melhor álbum pop vocal e já chegou à marca de 3 milhões de CDs vendidos internacionalmente.

Em 2015, foi convidada para cantar o primeiro single do filme *Jogos Vorazes: A Esperança – O final*. Sobre o significado que corre por trás da trama, li: "A série foi inspirada nos gladiadores romanos e no mito grego de Teseu e o Minotauro. Valores como lealdade, pobreza, verdade e amor são abordados durante o enredo. Com críticas sobre a sociedade vivida pelos meros mortais em contradição com os habitantes da cidade fictícia Capital, onde todo o poder se concentra". Conhecemos bem essa trama...

Assim, acho que escolheram a voz correta para invocar o "Mockingjay" na tela, pois Lorde sintetiza bem esses valores todos em sua *Royals* (canção que regravei em meu CD SINGULAR, imaginando uma caminhada pelos batuques de Salvador). E é muito importante que ela tenha composto essa canção, pois criou oportunidade para jovens do mundo inteiro acordarem para outros tipos de buzz – palavra que pode ser traduzida como "barato", excitação, euforia, entusiasmo – pela vida e pelo cotidiano, aspirações e desejos. Ou seja, não precisamos de futilidades para embriagar nossas almas. Podemos inebriá-las com sabedoria e profundidade.

Nusrat Fateh Ali Khan

Nusrat Fateh Ali Khan nasceu no Paquistão em 1948. A primeira vez que tive contato com sua música foi com o filme *Assassinos por Natureza*, de Oliver Stone. Por não conhecê-lo e por não fazer ideia do que dizia (Nusrat canta primordialmente em urdu e punjabi), fui invadida por um êxtase inexplicável, apesar de associado a certa brutalidade do filme. Eu não conseguia entender o porquê desse misto de incômodo e redenção. Não demorou muito para que eu tivesse sua música ao meu redor e aos poucos começasse a desvendar o que morava por trás do dono daquela mística voz.

A profundidade e a redenção entendi ao descobrir que ele era considerado o "Rei do Qawwali": canções baseadas na poesia devocional do sufismo, um ramo místico do Islã, que muitas vezes fala sobre o sentimento de estar intoxicado pelo amor divino. Já o desconforto, constatei com um depoimento seu para a revista *Rolling Stone*: "Quando alguém usa algo que é religioso dessa forma, acaba refletindo mal sobre a reputação de quem a exerce". Afinal, a espiritualidade de suas intenções não condizia com o momento da trama em que foi utilizada.

Nusrat nasceu em uma família em que o canto esteve sempre ligado ao sufismo. Embora seu pai quisesse que ele desfrutasse de uma posição mais nobre na sociedade (estudando medicina), o jovem Nusrat acabou o convencendo de que era impossível escapar do que já corria em suas veias. O canto pulsava por todos os lados, como um chamado. É interessante perceber, porém, que sua primeira apresentação em público aconteceu somente aos dezesseis anos, e foi exatamente no funeral de seu pai. A partir desde momento Nusrat teve coragem de assumir a devoção que sua família cultivava por séculos e a transformou em uma das carreiras mais bem-sucedidas do Paquistão.

Seus concertos eram apresentados na forma tradicional, com homens sentados em posição de lótus cantando, tocando harmônio, tabla e batendo palmas. Como em uma oração fervorosa, ele cantava por ininterruptas horas, fazendo uma música muito rítmica e que levava plateias ao transe, dançando euforicamente e o experienciando como um semideus.

Além de muitos discos gravados (mais de 100), também teve uma presença muito marcante na indústria cinematográfica. Ao lado de astros do pop internacional como Peter Gabriel e Eddie Vedder (Pearl Jam), participou de trilhas para filmes antológicos como *A Última Tentação de Cristo*, de Martin Scorsese, e *Os Últimos Passos de um Homem*, de Tim Robbins.

Na ocasião de sua morte prematura (com apenas 48 anos), Peter Gabriel disse que nunca uma voz o tinha comovido tanto quanto a de Nusrat e dedicou o disco VOICES OF THE REAL WORLD para ele, em 2000.

Em apenas 25 anos de carreira, Nusrat se transformou em um dos cantores mais (re)conhecidos da Ásia, assim como foi o responsável pela maior difusão do Qawwali pelo Ocidente. Dono de uma elasticidade vocal incomum, ele conseguia emitir notas muito agudas que nos transportavam aos céus enquanto suas acrobacias espirais nos levavam ao contentamento.

tommy emmanuel

Há algum tempo meu irmão Sérgio me enviou o link de um violonista que ele tinha achado o máximo e gostaria de saber se eu o conhecia. E olha que para meu irmão achar um violonista o máximo é porque o bicho deve pegar. Naquela mesma noite abri o tal link. Fiquei de boca aberta. O que vi foi um violonista eletrizado, tocando de pé, esmerilhando o violão e usando técnicas que nunca tinha visto antes. Seu nome era Tommy Emmanuel e pelo o que entendi ele tinha desenvolvido sua carreira como "um homem-banda". Interessante porque naquela época eu já era conhecida por ser "uma mulher banda" também. Fiquei curiosíssima para sorver mais daquele australiano cheio de vida, talentosíssimo, hiper criativo e fazendo algo completamente diferente de mim. Tommy Emmanuel era um dos maiores violonistas da história do instrumento no mundo e eu ainda não o conhecia!

Fui pesquisar e aprendi que tínhamos mais coisas em comum. No início ele, assim como eu, possuía a música mas, ao longo do tempo, foi a música que passou a possuí-lo: "Quando eu entrava no palco, sentia que as pessoas se iluminavam e isso me fazia mostrar e fazer todas as coisas que garotos arrogantes fazem aos seis, sete e oito anos. A música foi a melhor droga que já tive, e ainda estou viciado nela", diz sorrindo.

Aos seis anos de idade Tommy descobriu o legendário "Mr. Guitar" Chet Atkins e instantaneamente se transformou em seu maior admirador. Chet foi um dos responsáveis pela criação da country music nos Estados Unidos, som que passou a ser conhecido como a identidade de Nashville. Ou seja, desde seus primórdios o pequeno Tommy já tinha algo de country em seu jeito de ser e apesar de mais tarde ter se envolvido com várias manifestações musicais como jazz, bluegrass, blues e folk, foi no estilo do "country fingerstyle" (lembra-se do duelo de banjos no filme *Amargo Pesadelo*, de John Boorman,

1972?) que desenvolveu sua maestria técnica e se fez conhecido internacionalmente.

Nascido na pequena cidade de Muswellbrook, na costa leste da Austrália, conhecida predominantemente pela mineração de carvão, criação de cavalos e vinhos gourmet, Tommy parece ter misturado todas essas características, na fase adulta, em seu balaio profissional. Pois sua jornada de trabalho se parece com a de um trabalhador da mineração (faz cerca de 300 shows por ano!), sua força se parece com a de um cavalo de raça (por aguentar toda essa maratona) e seu entusiasmo em cena parece vir de um estado alterado de consciência, apesar de eu ter certeza de que essa embriaguez vem de seu amor pelo o que faz, como se fosse ele mesmo um desses excelentes vinhos.

Mas de onde ele realmente veio? Com certeza não deve ter tido uma infância corriqueira. Para começar aprendeu a tocar lap steel guitar com a mãe quando tinha apenas quatro anos de idade e aos seis já se profissionalizou, quando o pai criou uma banda familiar. Explico. Tommy tinha cinco irmãos e quatro deles tinham talento musical. O pai, quando percebeu, vendeu a casa, formou o grupo e levou-os para excursionar. Sendo assim, Tommy e seus irmãos não frequentaram escolas convencionais. A estrada da vida se transformou em sala de aula.

Quando ele tinha onze anos seu pai faleceu e mais ou menos nesse período foi obrigado a frequentar o sistema educacional convencional, mas era tarde demais. O menino já tinha se agarrado aos aprendizados livres e sem fronteiras. Em sua juventude acabou parando em Sidney (capital australiana) e participou de outros grupos. O primeiro foi ao lado do irmão Phil, Goldrush, depois vieram The Southern Star Band e Dragon.

E foi no lombo do Dragon que Tommy alçou o voo maior. Sentou-se em sua cauda e acompanhou uma tour de Tina Turner. Depois disso percebeu que tinha força o suficiente para seguir sozinho. Foi então que desenvolveu suas técnicas *a la* Chet Atkins, quando a mão direita se desdobra em polegar fazendo som de contrabaixo, enquanto a munheca batuca no cavalete do violão obtendo sons percussivos e a mão esquerda vai inventando formas de incrementar o ritmo, fazendo melodias e entorpecendo ouvidos desavisados... E tudo ao mesmo tempo! Vez ou outra tira uma baqueta vassourinha da cartola e faz do violão com o microfone à sua frente um verdadeiro set de bateria. O "homem banda" chega para trabalhar e arrasa.

Certa vez dividimos a noite de um festival em alguma cidade da Alemanha. A primeira parte da noite foi minha e curiosamente eu, naquela turnê, não estava sozinha. Ao meu lado o excelente percuteiro brasileiro Décio7 (fundador da aclamada banda paulista Bixiga 70) e o contrabaixista da Martinica Reno Steba compunham meu trio. Quando saí do palco, Tommy entrou, sozinho. Deixei meu violão no camarim e coloquei-me rapidamente a postos para vê-lo. Sua apresentação foi sensacional. Ao terminar, saiu e sentou-se em uma cadeira ao lado da minha na coxia. Enquanto a plateia urrava para que retornasse ele aguardava com as pernas inquietas que se moviam para frente e para trás. Ficou ali um pouco, levantou-se e retornou à cena para o bis. Tocou mais um hit. Saiu. Nos abraçamos e ele me perguntou se eu iria embora logo em seguida. Eu disse que não sabia ainda e ele pediu para que eu aguardasse. Tommy saiu correndo para autografar os discos que levava para todos os shows e vendia como rio. Depois retornou ao camarim. Bati suavemente na porta e ele pediu para que eu e meu marido Dimitri entrássemos. Quando estávamos ali, confessei minha admiração. Ele sorriu modestamente e conversamos, entre tantas coisas, sobre nossas famílias musicais. No meio da conversa mencionei o nome de minha mãe, Angelina. Pois, depois daquilo tudo, ele ainda teve energia para pegar seu violão e tocar uma canção apaixonada que havia composto para sua filha Angelina. Ali, só pra gente. Que momento!

Ou seja, Tommy respira som e exala música. Seu pulsar é plugado em notas e escalas. Nunca mais encontrei-me com ele, mas aquele momento eternizou-se em meu coração.

urna

Imagine uma paisagem bucólica no alto de uma montanha entre o deserto de Gobi e o infinito, com algumas dezenas de ovelhas, vacas e cavalos sendo conduzidos para seus respectivos estábulos por mãe e filha. No ar, um vento erguendo harmoniosamente os longos cabelos da pequena Urna, que aprendia com a mãe o ofício da ordenha, e com ela trabalhava para o sustento da família nômade nos altos de Ordos, cidade da Mongólia, onde nascera.

O dia em que Urna expressou desejos de não seguir a normalidade de se casar jovem e construir família e, em vez disso, querer colocar-se rumo à capital, Hohhot, para estudar música, causou espanto, pois seus pais em nenhum momento imaginaram que a filha criaria asas próprias e pensamentos além de seu rebanho. Porém, lá onde aprendiam com a Natureza as magnitudes da vida, não se ensinava música. O único contato que ela tinha com esse universo era pelas canções que a avó cantarolava para ela. Felizmente sentiram no pedido da jovem uma legitimidade impossível de se recusar e a autorizaram a cruzar planícies no lombo de um cavalo e nos bancos desconfortáveis de um ônibus até chegar, muitas horas depois, à casa da professora do instrumento chinês dulcimer. Outro feliz episódio é que a professora aceitou ensinar-lhe de graça, já que ela não tinha recursos para estudar formalmente. Em troca harmoniosa, Urna começou a usar suas habilidades natas de voz doce e cantigas suaves para embalar a filha da professora.

Dias correram entre cuidar da menina e debruçar-se sobre o dulcimer. Entre fraldas e acordes, Urna demonstrava talento e dormia exausta, muitas vezes sobre o próprio instrumento, acordando pela manhã com suas inúmeras cordas marcadas no rosto. Foram essas marcas de determinação que a levaram à China, quando a professora foi convidada para lecionar na mais importante escola de música em Xangai, o Shanghai Conservatory of Music, e a levou junto. Urna continuou então a cuidar de sua filha e receber seus ensinamentos musicais. Nas horas vagas, que mal existiam, teve que se apressar para aprender o mandarim, idioma de um país totalmente novo para ela.

Anos se passaram e Urna cresceu. Pôde, contudo, perceber que na escola todas as vozes eram igualadas e os inúmeros sotaques que ali chegavam, vindos de tantas distintas regiões, eram perdidos. Provavelmente lembrou-se dos ventos que refrescavam sua face quando menina e quis ver-se livre no coração. Sentiu um chamado para não se igualar. Ela queria trazer a intensidade de suas planícies mongóis, queria cantar o que havia aprendido com a avó, com a Natureza, com os aboios de acolá. E foi assim que ela floriu-se girassol em meio a peônias e lótus. Ao sair em busca de canções perdidas de sua terra, começou também a compor outras que encontrou em seu imaginário apaixonado.

Tive o privilégio de vê-la cantar ao vivo em duas situações: a primeira em um festival incrível no norte da Suécia dentro de uma igreja lotada. No altar, Urna e o impressionante violinista polonês Tomasz Kukurba, e na plateia, pessoas que a assistiam em sentimento de oração. A voz de Urna alcança quatro oitavas e é de uma pureza cristalina. Quando canta, nos transporta para aquela paisagem bucólica e espiritual de sua infância. Outra vez que a encontrei foi em Xangai e pude vê-la em um habitat mais natural, com milhares de chineses cantando sua canções famosas por lá.

Ficamos amigas. Urna é doce, profunda, como se existisse um rio correndo por dentro, de margens verdes e fundo de pedras, em todas as suas matizes marrons. Uma água um pouco fria, mas daquelas que ao entrarmos nos revigora.

Seu projeto URNA & KROKE chegou até mim antes mesmo de se materializar em CD, com a intenção de que eu o ouvisse e desse um parecer. Quando coloquei meus fones de ouvido e iniciei a audição, fui imediatamente arrebatada por um sentimento daqueles que arrepiam. A voz de Urna é uma prece.

yo-yo ma

Os músicos chineses Marina e Hiao-Tsiun, por conta do destino, tiveram seu rebento na França e depois, quando o menino era ainda um menino, se mudaram para os Estados Unidos. Foi assim que o aclamado cellista Yo-Yo Ma começou a apaixonar-se pela música e pela união de culturas.

Yo-Yo nasceu, pelos olhos astrológicos de seus ancestrais chineses, no ano da Cabra. Lendo as características do signo, concluo que realmente temos um espécime legítimo: os nativos de 1955 são pensativos, bem-humorados e preocupados com os desejos das outras pessoas; são criativos e trazem uma apreciação grande para as coisas mais finas da vida. Diz-se também que não gostam de ser limitados pela rotina.

Quando leio sua biografia e vejo seus vídeos, não tenho dúvida, pois é com uma voracidade e astúcia que, não à toa, Yo-Yo Ma traz uma coletânea de mais discos gravados que sua própria existência em vida. Em outubro de 2015, completou 60 anos e já tinha mais de 90 projetos com seu cello, vibrando cordas e trazendo os sentimentos mais profundos à superfície. Yo-Yo consegue, então, fazer com que sua intensidade contemplativa por estilos musicais tão diversos (como barroco, bluegrass, música tradicional chinesa, tango, bossa nova, jazz, música minimalista e tudo o mais que possa atiçar sua imaginação) encante seu espírito e nos sirva de alento.

Foi ele quem inventou, entre tantas outras aventuras, o belíssimo projeto Silk Road, que une músicos de vários países pelos quais passou a histórica Rota da Seda, que interligava o comércio do tecidos entre o Oriente e a Europa. Originalmente, esses caminhos ajudaram a fundamentar o início do mundo moderno.

Yo-Yo Ma ganhou dezesseis Grammy Awards, incluindo sua redenção à alegria e paz no CD YO-YO MA & FRIENDS – SONGS OF JOY & PEACE, um disco do qual minha família e eu tivemos o prazer de participar com a música *Família* (2009).

Yo-Yo Ma se envolveu em importantes eventos que confirmam sua posição como um dos músicos clássicos mais reconhecidos, admirados e requisitados de todos os tempos. Se apresentou, por exemplo, com o cantor Sting durante a cerimônia de abertura dos Jogos Olímpicos de Inverno 2002, em Salt Lake City, na cerimônia de posse do presidente Barack Obama (2009), no memorial para Steve Jobs (2011), no serviço inter-religioso para homenagear as vítimas dos atentados da Maratona de Boston (2013)...

Com a mesma paixão, ele está presente na trilha de filmes como *Sete Anos no Tibet, O Tigre e o Dragão, Os Intocáveis*. Assim como já apareceu em episódios televisivos das séries norte-americanas infantis Arthur, Vila Sésamo, e para os não tão infantis Simpsons.

Tive o prazer de encontrar-me com ele duas vezes em minha vida. A primeira, quando excursionei pelos Estados Unidos com o show da Família Assad, ao lado de meus irmãos Sérgio e Odair, nossos pais, Jorge e Angelina, e meus sobrinhos, Clarice, Carolina e Rodrigo, e ele foi a nossa estreia, em uma cidade perto de Boston, onde vive. Depois do show veio falar conosco, um homem simples, que chegou para minha mãe, beijou-lhe a mão e deu-lhe parabéns pela família que ajudou a criar. A segunda vez, quando eu estava grávida da Sofia e o telefone de casa tocou. Era seu empresário me convidando para assisti-lo em sua passagem pelo Teatro Cultura Artística, em São Paulo. Nossas poltronas foram reservadas bem perto do palco e bem na frente dele. Nunca me esquecerei do momento em que ele me viu e abriu um sorriso largo, com direito a brilho nos olhos. Foi emocionante. No camarim nos abraçamos e ele desejou boa vida à minha princesa.

Voltando à sua biografia, leio que ele é chamado de "o cellista mais onívoro que já percorreu os holofotes da música clássica mundial". Traçando um paralelo entre sua vida e a natureza do animal que o representa pela astrologia chinesa, podemos brincar de dizer que ele, por metabolizar diferentes estilos musicais e cruzar fronteiras com sua arte, converteu a cabra ao mundo onívoro e a si próprio, como nosso "cabra" mais querido.

zee avi

Zee Avi nasceu em Sarawak, na Ilha de Bornéu, arquipélago da Malásia. A paisagem das praias ao redor da ilha é simplesmente paradisíaca. Aquela cor de mar, aquela cor de areia, com seus bangalôs em palafitas sobre as águas. Quando ouço a música de Zee, imediatamente uma vontade de espreguiçadeira e drinques com canudinhos coloridos e sombrinhas de origami me invade.

Na verdade, se não soubesse que Zee nasceu na Malásia eu poderia simplesmente me imaginar em Honolulu, com alguns sarongues ao redor. Talvez por influência de seu timbre de voz suave ou por conta do ukulele (instrumento de origem havaiana) que ela toca em uma faixa ou outra?

Mas fato é que, ao ouvi-la, um vento suave sopra e meus lábios não resistem ao desejo malemolente de um sorriso contínuo. A música de Zee é um acoustic soft folk rock, bem próximo ao som do havaiano surfista Jack Johnson, ou até mesmo de nossa charmosa Mallu Magalhães.

Zee ainda não tinha descoberto seus talentos quando morava na ilha e enquanto absorvia a essência do povo iban. Quando completou onze anos mudou-se para a capital Kuala Lampur e foi lá que aprendeu a tocar ukelele aos catorze, e violão aos dezessete. Porém, sua história musical começou aos 21 anos, quando postou o vídeo caseiro de sua primeira música, *Poppy*, no YouTube, para que uma de suas amigas, que não pôde ir a sua primeira apresentação, pudesse assistir. Antes que tirasse o vídeo do ar, a amiga convenceu-a a deixá-lo online, mesmo depois de ter visto. Zee não esperava que comentários fossem começar a chegar e muito menos que fossem tão positivos. Ficou empolgada e, desde então, e a cada composição nova, sentava-se em frente à câmera e postava sua criação para os fãs, que timidamente foram chegando.

Porém, algo mais inesperado aconteceu: na véspera do seu 22º aniversário, Zee postou *No Christmas for me*, uma canção nostálgica de amor, mas daquelas com final feliz. No dia seguinte, o próprio YouTube escolheu seu vídeo como preferido e imediatamente Zee recebeu 3 mil e-mails em sua caixa de entrada. Foi assim que Patrick Keeler (da banda The Raconteurs) descobriu a garota pela internet. O que nos leva novamente à nossa Mallu que, apesar de mais nova, viu sua carreira ser catapultada quando também foi descoberta online, em seu Myspace, e, pasmem, no mesmo ano que Zee, 2007. Coincidência? Vai saber...

A descoberta e o entusiasmo de Patrick acabaram em um contrato assinado com a gravadora Brushfire Records, que é de quem mesmo? Do havaiano Jack Johnson. Outra coincidência? Talvez as águas do oceano Pacífico? Vai saber. Foi um começo inesperado, mas incrível, para o nascimento de uma grande estrela malaia, de pele morena, olhos puxados, cabelos lisos e beleza exótica.

Zee Avi canta, toca violão acústico, ukulele, é artista visual e compõe as mais lindas canções. Ouvi-la me traz uma deliciosa sensação de bem-estar com a vida. Ela também é a vencedora do The International Youth Icon Award de 2011, em Sarawak, assim como a primeira artista malaia a entrar na lista de álbuns do Billboard Hot 200 dos Estados Unidos.

Lendo sua biografia, fiquei muito feliz ao saber que ela fez o trabalho ZEE AVI'S NIGHTLIGHT dedicado às crianças, e nele usa bastante o pequeno ukulele, algo que também fiz na gravação do meu projeto infantil CANTOS DE CASA. A proposta de Zee é um disco de covers, enquanto o meu é de um todo autoral, mas tem um ponto onde nos encontramos, quando ela diz: "Enquanto essas músicas atraem as crianças, elas são igualmente boas para os adultos, pois suas mensagens podem ser lidas em diferentes níveis".

Apesar das diferenças de idade, quase vinte anos, Zee e eu temos ainda outra coisa em comum, a educação que recebemos dos nossos pais: "Nunca tenha medo de ser você mesma, lembre com humildade de onde veio e trate sempre as pessoas com respeito e amor". E é assim que eu e Zee seguimos pela vida.

europa

Horn Sound
Hope I.
Cherry I.
Barents & Cornelison in 1595
I. Admiralty
West Hook
Staten Hook
St. Laurence Bay
English I.
Waygatz St.
Matthew I.
Charles R.
North Cape
LOFFODEN ISLES
West Fiord
Kolgow I.
R U
A R C H A N G E L
White Sea
G. of Finland
BALTIC
G O V E R N M
O R E
B U R G
P O L A N D
GERMANY
Prague
Frankfort
VIENNA
UKRAINE
B L A C K S E A
ARMENIA
SYRIA
CANDIA
Tripoli
G. of Syrtis
TRIPOLI
EGYPT
Dead Sea
ARABIA DESERT
PERSIAN GULF
KERMAN
OMAN
A R A B I A
Desert of Belma
Arabs
Desert
CABUL

alt-J

Se você não sabe como escrever o símbolo delta em um computador, aperte as teclas alt-j e voilà... Descobriu o nome de um grupo que vem revolucionando a história do rock'n'roll e conquistando, desde seu primeiro CD, AN AWESOME WAVE, de 2012, uma legião de fãs apaixonados.

Alt-J é formado pelo vocalista e guitarrista Joe Newman e seus amigos de juventude universitária Gwil Sainsbury (guitarra/baixo), Gus Unger-Hamilton (keyboards/vocals) e Thom Green (bateria).

AN AWESOME WAVE chegou desafiando. Era quase impossível classificá-los nas categorias musicais existentes. Contudo, foram pegos de surpresa quando ganharam o mais prestigiado prêmio inglês, o Mercury Prize, como melhor álbum do ano. A partir dali, o quarteto vem colecionando histórias inesperadas, já que não tinham ambição nenhuma quando se juntaram para fazer o que mais gostavam nas horas vagas da faculdade: música.

'Δ' faz música empírica, experimenta, ousa, mistura interlúdios a capella com pequenas peças instrumentais tocadas no violão acústico. Mistura folk com música eletrônica. Imaginem um rock introspectivo e silente. Conseguiu imaginar? Pois então, eles são assim: roqueiros introvertidos.

A forma de cantar de Joe é incomparável a tudo que já ouvi antes, parecendo que vai se desfazer a cada final de frase, ao mesmo tempo em que se alonga como uma tranquila onda trepidante. Em praticamente todas as canções há duetos vocalizados, acompanhados por arranjos instrumentais inusitados em comparação à parafernália ruidosa atual. No meio da música ritmada param, respiram, desdobram o tempo, respiram novamente e voltam a intensificar-se, virando tudo de cabeça para baixo, mais uma vez.

Uma das explicações sobre o som incomum da banda pode vir do fato de que na era do campus universitário os "ruídos" tinham de ser mantidos ao mínimo, e assim foram obrigados a ficar longe das guitarras com pedais, contrabaixos plugados e baterias escandalosas. A ausência desses instrumentos, naturais a qualquer *jam session* de jovens músicos, abriu espaço para o silêncio e para a reflexão.

O astral da banda é totalmente o oposto de tudo o que se espera de uma banda de rock. Talvez seja este um dos motivos para serem a peça-chave que exemplifica a nova cena indie-rock internacional. Alt-J é formada por artistas independentes que não fazem música para vender, não seguem fórmulas e não se interessam em aparecer. Fazem a música que querem e com ela encontram sua turma.

O clipe de *Hunger of the Pine*, que angariou cerca de 40 milhões de views no YouTube, é um vídeo diferente. Durante todo o percurso da canção, um homem atravessa florestas e planícies verdes sendo flechado por todos os lados, e em todo seu corpo, do começo ao fim, como uma metáfora de uma desilusão amorosa. Um assunto tão conhecido por nós, mas que readquiriu dramaticidade com eles, como um antídoto à banalização dos sentimentos e à insensibilidade que assola nossos tempos. Quando escolhi esta canção para gravar em meu CD SINGULAR, sabia que teria um momento em meus shows em que poderia expressar essa complexa dor de um amor perdido, levando ainda para outras esferas, como a dor de um sonho perdido, de uma luta perdida... Aproveito então para mergulhar num caudaloso lago profundo e lavar meu espírito. Quando termina a canção me sinto aliviada, de alma e corpo limpos. *Hunger of the Pine* me levou à catarse e pude transcender.

Alt-J começou na garagem, gravando os primeiros sons no estilo grunge americano. E eles não se incomodam, aliás dizem sentir alívio, por não serem reconhecidos na rua. Suas músicas se fizeram ouvidas sem que eles movessem um dedo sequer para isso. Elas foram de boca em boca alastrando-se com o vento. Eles conseguiram sucesso sem fama. Saíram da garagem e voltaram para dentro de casa. Não se iludiram pelo tapete vermelho.

Sam Richards, do jornal britânico *The Guardian*, disse sobre eles: "Para ser honesto, acho que nenhuma banda tem agido assim desde os anos 1980. Os 'novos' jovens não querem mais comprar a fantasia escapista do 'velho' rock'n'roll, pois sabem que é uma grande mentira. Eles querem bandas que encarem suas próprias ansiedades e mantenham suas expectativas reduzidas. Os 'novos' jovens querem uma banda que os represente". Alt-J serve então como pelica.

anna maria jopek

Imagine um lindo cisne branco flutuando em um lago tranquilo e transparente, com plumagem branca e leveza, movimentando-se elegantemente para lá e para cá. Imagine agora se esse cisne, em vez de emitir sua voz natural, pudesse cantar conforme sua aparência. Posso quase afirmar que o canto seria bem parecido ao da talentosa e bela cantora polonesa Anna Maria Jopek.

Anna poderia facilmente ter escolhido a profissão de modelo, caso tivesse optado por vestir-se realmente de plumas adornadas com paetês. Mas nasceu filha de pai cantor, Stanislaw Jopek, e mãe bailarina, Maria Stankiewicz. Ambos artistas da mais tradicional companhia folclórica da Polônia, Mazowsze. Não seria possível crescer rodeada de ensaios coloridos (pelas vestimentas típicas) e de muita alegria musical e escapar de desenvolver gosto pela arte.

Anna estudou piano clássico e graduou-se na Chopin's Academy of Music, em Varsóvia. Porém, o breve período em que frequentou o departamento de jazz da Manhattan School of Music, em Nova York, foi suficiente para contagiá-la. O jazz a invadiu de tal forma que a fez trocar sua devoção anterior a Mozart e Ravel pela liberdade criadora de um Keith Jarrett, assim como a promissora carreira de salas filarmônicas por teatros e esfumaçados clubes de jazz. No entanto, ela não identifica sua música como jazzística, pois seu som é uma mistura de muito mais do que isso. Afinal, ela cresceu ouvindo Mazowsze e trazendo em seu imaginário o amor pelas paisagens e sons eslavos.

Os desavisados eruditos poderiam até pensar que Anna havia se transformado em um tipo de cisne negro, desgarrando-se do bando clássico e dos nobres palcos. Dizem que os cisnes, por serem aves grandes e pesadas, demoram para decolar e precisam de uma longa pista para conseguirem sair do chão. Anna seguiu essa organização natural quando usou o palco do concorridíssimo show de talentos

The Eurovision Song Contest para receber, em 1997, o 11º lugar entre milhares de participantes e alçar voo. Foi ali que teve a oportunidade de compartilhar, com uma outra escala de público, os muitos anos de estudos eruditos, folk e jazzísticos, todos misturados e aperfeiçoados dentro de sua música. Ela representava a Polônia e aqueles desavisados eruditos tiveram que se curvar. Anna Maria tinha 27 anos e lançava o primeiro CD (de muitos), ALE JESTEM. Com essa aparição maciça, acabou sendo descoberta por um grande número de pessoas e começou a conquistar fãs não somente em seu país, mas em toda a Europa e além. Na verdade, ela levantava voo ao estrelato.

Aos 32 anos foi convidada pelo excelente guitarrista norte-americano Pat Metheny para trabalharem juntos e deste encontrou nasceu UPOJENIE. Mas não foi somente Metheny que a achou original, única e diferente. Também não foi ele o único a chamá-la de grande artista. Anna foi convidada para cantar ao lado de figuras como Bobby McFerrin e Sting, para citar apenas alguns, e teve em suas gravações e turnês músicos do calibre do contrabaixista africano Richard Bona, o saxofonista norte-americano Branford Marsalis, o pianista cubano Gonzalo Rubalcaba e até nosso querido senhor bossa nova, Oscar Castro-Neves.

Sua vontade de inovar a faz sempre buscar parcerias que resultem em projetos musicais distintos, carregados de sutileza e sofisticação. Isso se percebeu quando convidou o excêntrico alaudista e cantor tunisiano Dhafer Youssef para participar da gravação de ID, ou quando chamou músicos japoneses para criar HAIKU, ou ainda brasileiros e africanos para SOBREMESA.

Todavia, se perguntarmos a ela se existe alguma memória que mais aprecie, a resposta será quando subiu ao palco do consagrado Carnegie Hall e também quando participou do evento Bossa Nova at 50, no Hollywood Bowl, Califórnia.

Pensando bem, Anna Maria tem mesmo aquela voz adocicada que a bossa nova tanto pede, assim como uma calma presença que a aproxima do cantinho e violão de Nara Leão. Posso até dizer que sinto certa brisa de mar quando ela caminha. Então, se tivéssemos de redefini-la, será que poderíamos abusar e chamá-la de "A Cisne de Ipanema"? Brincadeiras à parte, Anna Maria Jopek é sinônimo de música boa.

Uma dica: coloque-a para ouvir e poetize uma noite romântica, com direito a boas taças de vinho, luz de velas e olhares apaixonados. Correrás o risco de sentires o roçar de plumas atrás do pescoço e um carinho suave da brisa do mar.

aziza mustafa zadeh

Aziza Mustafa Zadeh parece ter saído de um quadro morgano, com sua cabeleira negra envolvendo a cintura e emoldurando a tez quase transparente.

Ela nasceu na capital do Azerbaijão, Baku, cidade que se encontra 28 metros abaixo do nível do mar, no caso o Cáspio – um tipo de ilha às avessas, ou seja, um pedaço de mar cercado de terra por todos os lados. Seriam esses alguns dos segredos que trouxeram profundidade e mistério à música de Aziza?

Seu pai, Vajif, é muito importante para a história da música azerbaijana, pois foi precursor em mesclar o mugham (música folclórica) com o jazz. Sua mãe, Elza, por sua vez, foi uma grande cantora lírica. Aziza, então, acabou misturando intuitivamente o DNA dos dois e encontrou a própria voz quando fundiu o piano mugham-jazz com seu canto onírico.

As emoções de Aziza foram percebidas musicais desde muito bebê, quando se punha a chorar ouvindo o pai tocar escalas melancólicas e a sorrir quando elas eram alegres. E assim foi, entre lágrimas e sorrisos, que a pequena subiu ao palco pela primeira vez aos três anos de idade, acompanhando o pai, e já improvisando.

Aziza atravessou fronteiras, literalmente. Aos dezoito anos faturou o terceiro lugar no aclamado concurso de piano Thelonious Monk, nos Estados Unidos, e não parou mais. Levou ao mundo sua mistura de estilos, incrível destreza ao piano e habilidade vocal impressionante. Suas escalas enigmáticas nos levam a uma montanha-russa de emoções.

Nunca tive oportunidade de assisti-la ao vivo, mas quando a descobri, no SEVENTH TRUTH (1996), ela virou uma espécie de escrava por um bom tempo, pois ininterruptamente tocava e cantava para mim, num deleite profundo pelos esconderijos de minha alma. Os mistérios de Aziza me plantaram desejos de Sol.

BJÖRK

Ela veio ao mundo em uma ilha gelada, com direito a gêiseres e fontes termais. Parece que, assim como a ilha, ela traz em sua essência vários gêiseres, que entram em erupções criativas, lançando vapores musicais pelo ar, enquanto sua voz aquecida por fontes subterrâneas aquece os que ouvem seu canto.

Björk nasceu islandesa, mas não se conteve em um lugar tão pequeno. Ela veio cidadã do mundo, trazendo a sina de levar suas erupções para todos os lugares. Seu inglês de sotaque próprio se impôs a todas as críticas. A forma tão peculiar de cantar fez-se conhecida, respeitada e amada em todo o planeta. Não há como não percebê-la.

Dona de olhinhos miúdos que projetam uma mente brilhante, essa menina de extremos lança-se e, quando pousa, faz acontecer. Sem limites de criatividade, solta faíscas minúsculas como raios de uma super-heroína. Imersa em escandinávias sensações, como diz em *Hunter* ("how scandinavian of me"), ela inventa incessantemente.

Seus discos são sempre uma surpresa que nos envolve em novos caminhos, novos pulsares, novas propostas. Misturando linguagens de seu tempo com tempos que ainda não chegaram, envolve-se com jazz, dance music, rock, trip hop, música eletrônica, clássica, experimental e de vanguarda. Compondo, cantando e tocando vários instrumentos, ela imagina, produz, dirige e sonha!

Os vídeos produzidos para suas músicas são sempre muito modernos, tecnológicos, de bom gosto, refinados e vestem seu mundo eruptivo como uma luva. Ela não tem medo de ousar, como em seu controvertido clip para a música *Pagan Poetry*, onde aparece penetrando as costas com agulhas e pérolas, simulando a própria vida íntima sexual e mostrando-se nua como uma sereia, abrindo a boca em insinuantes movimentos, com cabelos esvoaçantes, esperando o marido para o ato.

As performances de Björk são um misto de intensidade e alegria. Uma mulher moleca capaz de mergulhos profundos. Como foi o caso de sua interpretação no papel de Selma para o filme *Dançando no escuro*, de Lars von Trier, em que interpreta uma mulher perdendo a visão. Sua atuação foi tão visceral que lhe rendeu o prêmio de melhor atriz no Festival de Cannes (2001).

Björk não teme se arriscar, não está nem aí para o que dirão. Aventura-se na medida em que seu coração e sua mente pedem. Dona de poderes sedutores e magistralmente afinados, ela é enigmática, desafiadora.

Nunca fui a um show seu para experimentá-la ao vivo, dançar ao som das batidas eletrônicas inventadas por ela mesma e sentir subterraneamente o som entrando pelos pés, chacoalhando o corpo e esquentando o cérebro. Suas composições podem entrar em nossas veias como soro para os dias de tristeza, fraqueza ou quando queremos uma overdose de emoção.

Em 2004 lancei WONDERLAND, e sua *Bachelorette* entrou no repertório. Desde então brinco de dizer que entrei em meu avião particular, onde todas as misturas são possíveis, mirei a Argentina, convidando o sr. tango para entrar, e depois Islândia, para chamar Björk a bordo. E assim trago esta mistura e sigo cantando que "sou uma fonte de sangue, na forma de uma mulher".

Camille Dalmais

Lê-se sobre a personalidade da mulher que nasceu no ano do Cavalo pelo horóscopo chinês, segundo o site Hoops: "O nativo fêmea do Cavalo tem algo especial. Não se pode negar seus atrativos e seu encanto natural. Seu tipo psíquico dá-lhe um ar distinto. A menos que quebre o pressuposto, esta mulher transborda saúde e vitalidade. Seu perfil expressa autoconfiança, equilíbrio, franqueza e abertura. É graciosa, com um forte sentido de ritmo e movimento. Autoconfiante, sua presença física é sempre sentida fortemente por onde circula".

Nunca me encontrei pessoalmente com a francesa Camille Dalmais, nascida em 1978, portanto Cavalo de Terra, mas, quando ouço suas músicas, vejo suas fotos e leio sua biografia, algo me diz que estes dizeres se encaixam perfeitamente nela. Todavia, tenho que admitir que apesar de apreciar as personalidades gerais do zodíaco chinês, eu mesma já tinha chegado à conclusão de que Camille é talentosa, criativa, intensa, lírica e muito moderna.

Aos sete anos, Camille começou a estudar balé, e durante dez anos lapidou o porte e esticou as pontas dos pés. Depois de adulta e com postura elegante, frequentou o conceituado Lycée International de Saint Germain-en-Laye, onde obteve bacharelado em Literatura. Aos dezesseis anos, compôs sua primeira música original *Un Homme Déserté* ("Um homem abandonado"). Com este título, podemos dizer que ela já era uma adolescente diferente. No início dos anos 2000, enquanto atuava em clubes de jazz em Paris, estreou como atriz no filme *Cães da noite*, de Antoine De Caunes. Até aqui já bastaria para entendermos sua complexidade de prazeres e dedicações. Mas não parou por aí, acredite: um pouco antes de resolver que era a música que fazia seu coração pulsar mais forte, entre todas suas aptidões, estudou Política no Instituto Paris de Estudos Políticos.

Em 2004, com 26 anos, conheceu o músico Marc Collin, do grupo Nouvelle Vague. Juntos começaram um romance entre a bossa nova e o pop-rock. O filho do namoro musical resultou em seu primeiro trabalho fonográfico e foi batizado de LE SAC DES FILLES ("A bolsa das meninas"), lançado pelo selo Virgin Records. Sugestivo?

Porém, somente com o trabalho seguinte disse realmente a que veio: o curioso LE FIL ("O fio") traz do começo ao fim um som ininterrupto muito grave, como um mantra que oscila mas não se interrompe. Por cima desse limpo ruído, afinado na nota si, as canções circulam, perambulam e servem de colcha para os experimentos que a despertam em um mundo inusitado.

Camille estica a voz, canta agudo, canta grave, canta a capella, replica, encorpa, atormenta, lidera na contramão. Sua voz meiga acaricia, instiga. Camille experimenta.

Certa feita conheceu Fernando Barba e Marcelo Pretto (do nosso Barbatuques) e os levou para um estúdio em Paris. Ao lado de outros convidados incríveis (como Jamie Cullum, por exemplo) fizeram o que sabem fazer melhor: um som livre de estilos. Como resultado, Camille lançou MUSIC HOLE ("Buraco musical").

Percutiram, repercutiram. Misturaram body percussion e sub bass com sons tribais e orgânicos, surpreendendo mais uma vez. MUSIC HOLE vai desde a music-hall até a chanson, passando pelo rhythm and blues e outras invenções próprias. Camille e suas acrobacias estilísticas escorregam, caem e se encontram em perfeito equilíbrio por essa fresta sonora.

Ela não se cansa, ousa: assim como certa vez Hermeto Pascoal levou ao palco uma porca para grunhir com ele, Camille subiu com seu cão de estimação debaixo do braço para um dueto fofo. Ela cantava e ele uivava. Alegria garantida.

Camille é um tipo de cigana pós-moderna. Livre.

CRIStina Pato

Se você for como eu era, pode até achar que só existe um tipo de gaita de fole no mundo. Talvez você já associe a escoceses de meias brancas até os joelhos e saia xadrez vermelho e preto. Sim? Ou precisa de mais ajuda para se lembrar de qual instrumento estou me referindo? É aquele que se parece com um pássaro grande, debaixo do braço do músico que a toca. O ar é soprado por um tubo e reservado nesta bolsa-ave e somente quando os braços a apertam é que acontece a emissão do som, com os dedos tocando a flauta que se projeta da bolsa-mãe. Recordou? Pois bem. Grande engano. Existem vários tipos de gaita de fole e não é somente nos desfiles na Escócia que elas aparecem. Você também pode encontrá-las na música tradicional de França, Turquia, Egito, Irã, Índia e Espanha, para citar algumas culturas.

Confesso que minha curiosidade por esse instrumento era bem pequena até que vi Cristina tocar. Ela entrou no palco de vermelho escarlate, em uma roupa justa que mostrava um corpo cheio de curvas. A gaita de fole era de um tom verde-musgo, um pouco menos vivo que o verde das pontas de seus longos cabelos. Seu quadril seguia o ritmo musical, mexendo-se como uma serpente. Seu rosto demonstrava um transe profundo. O som da gaita a levava para um lugar dentro de si mesma que nos carregava junto. Seus olhos se fechavam e a gente sonhava com ela. Quem é essa mulher? Fiquei curiosa.

Cristina Pato, seu nome. Nascida em 1980 na Galícia, no noroeste da Península Ibérica, ela traz uma sensualidade naturalmente provocativa e é senhora de uma força vital que magnetiza qualquer um que testemunhe seu talento. Essa apresentação a que me referi é do seu momento solista, como membro do incrível grupo intercultural criado pelo cellista Yo-Yo Ma, The Silk Road Project Ensemble. E não foi ao vivo que a vi, mas no documentário *The Music of Strangers*, do premiado diretor Morgan Neville.

Eu me hospedava na casa do cientista Tom Kornberg e sua esposa, a psicóloga Jody Yeary, em San Francisco. Eles são amigos próximos do Yo-Yo Ma. Fiquei amiga do casal na época em que meu irmão Sérgio, sua filha Clarice e eu fomos convidados para o evento Tomkins Lecture and Concert na Universidade da Califórnia em San Francisco, em 2016. Em uma tarde descompromissada, quando Jody perguntou se eu tinha visto o documentário sobre o projeto The Silk Road, me preparou um chá e colocou-me à frente de uma tela gigantesca na sala de estar. Com direito a cobertor macio e um cachorro deitado aos meus pés, assisti ao documentário com muita atenção. Porém, quando Cristina apareceu, saltei da poltrona. Apesar do filme ser maravilhoso e mostrar tanto, depois que acabou eu só pensava nela. Corri para a internet para descobrir mais. E não foi pouco.

Cristina, por exemplo, foi a primeira mulher a lançar um álbum solo como gaitista (como se chama quem toca gaita de fole) na Galícia; colaborou com universos distintos como os do jazz, clássico e experimental, tocando com artistas como Paquito D'Rivera, Chick Corea, Yo-Yo Ma, Jack Dejohnette, além de ter sido solista de importantes orquestras como a Chicago Symphony e New York Phillarmonic... Ela é fundadora e diretora artística da Galician Connection, um fórum anual de música mundial, é membro fundadora do Conselho de Liderança do Silk Road Ensemble e é formada em bacharelado em piano pelo Conservatório de Música do Liceu, em Barcelona...

Descobri também que ela compôs *My Lethe Story: The River of Forgetfulness*, encomendada pela Silk Road e estreada na Universidade de Harvard em uma sessão que incluiu um painel com o neurologista Dr. Alonso-Alonso. A peça combina a paixão de Cristina pela neurociência e a história pessoal da perda de memória de sua mãe. Com essa peça, ela desenvolveu um novo caminho para entender o poder de combinar artes e ciências em instituições acadêmicas. Digo interessante porque eu a descobri justamente quando estava em San Francisco para participar de um projeto que unia música à ciência: Tomkins Lecture and Concert é uma homenagem que acontece anualmente ao cientista Gordon Tomkins, biólogo que desenvolveu pesquisas importantíssimas sobre genética humana. Ao lado da ciência, ele também viveu intensamente a música, tocando clarinete clássico e saxofone de jazz. Coincidência curiosa, pensei, e não seria a única.

Cristina ganhou sua primeira gaita de fole quando tinha quatro anos, mas sua mãe quis que ela também aprendesse algum instrumento que pudesse oferecer uma formação acadêmica mais tarde. E foi assim que a menina embrenhou-se pelas duas artes distintas. Com a gaita de fole se aprofundou no universo da música tradicional/folclórica galega, enquanto com o piano mergulhou no universo da música de câmara, como concertista.

Na juventude chegou a ser chamada, pelo ex-ministro de cultura da Galícia, Roberto Varela, de "Jimi Hendrix da gaita". Ela já tinha os cabelos verdes e levava a gaita para lugares nunca dantes navegados. Os mais tradicionalistas viraram a cara. Foi quando Cristina tomou a decisão de abandonar a gaita e mudar-se para os Estados Unidos para se dedicar integralmente ao piano e à música clássica. Abro parêntesis: eu compreendo muito bem este sentimento, pois foi o que experimentei quando comecei a fazer novas experimentações com o violão e voz e fui repudiada pela imprensa brasileira. Eu tinha acabado de lançar meu segundo CD, RHYTHMS, em 1995, e enquanto era elogiada nos Estados Unidos, o Brasil me criticou negativamente quando me apresentei no Free Jazz Concert. Foi quando decidi largar tudo por aqui e também me mudar para os Estados Unidos, afinal minha arte era valorizada por lá. Fecho parêntesis.

Algo inusitado aconteceu para Cristina, porém. Não fazia nem duas semanas que ela pisava o solo nova-iorquino quando recebeu a notícia de que seu pai adoecera gravemente e falecera. Cristina perdeu o chão e resolveu retornar, sem ter respirado profundamente aquele novo ar. Pegou avião e deixou para trás os sonhos eruditos. Quando retornou à Galícia percebeu, todavia, que ao seu coração era mais importante sentir-se perto de suas raízes do que se distanciar delas em salas de concertos além-mar. Eu também, mais adiante, retornei ao Brasil.

Na verdade há outras curiosidades ao redor de Cristina e da gaita de fole. É bem interessante ver um gaiteiro tocar, pois o movimento do ar que sopra o tubo da gaita não condiz com os movimentos dos dedos apertando os buracos da flauta, ligadas à grande bolsa. Quando param de soprar e se preparam para a próxima inspiração, os dedos continuam a se mover e as notas continuam a soar, como se fosse um passe mágico. É também muito intrigante ser verde a cor que Cristina decidiu adotar nos cabelos. Ela diz que é a cor da Galícia. Mas como eu tenho uma relação mais profunda com o verde, sei que é mais do que isso. Quando gravei meu CD e batizei-o de VERDE (2005) o fiz por saber que, ao olharmos a Natureza, esta é a cor predominante. Mas são tantos tons de verde! Como se cada música daquele projeto pertencesse a uma dessas matizes. E Cristina se apresenta assim: cheia de nuances que se dialogam, mas que pertencem a mundos distintos. E no meio? No meio ela se define. Tocando música do seu jeito e conquistando as maiores e mais importantes salas de concerto do mundo. Sempre deixando sua marca, inesquecível.

Última curiosidade: Cristina nasceu no ano do Macaco na astrologia chinesa, que define: "A mulher do Macaco é senhorita do seu nariz. Uma mulher natural que traz o excitamento e a estimulação aonde quer que vá. Poucas pessoas serão insensíveis à sua beleza provocativa. Trabalhará com qualquer grupo, sempre oferecendo incentivos. A senhora Macaco também será atraída ao palco e poderia ser facilmente uma performer excelente". Não tem como negar.

David Garrett

O envolvimento do alemão David Garrett com a música começou quando ainda nem distinguia brincadeira de realidade. Pegou o violino pela primeira vez com apenas quatro anos, em uma mescla de admiração e ciúme do irmão mais velho, quando este ganhou o instrumento do pai. O próprio pai, porém, sentiu que era David quem traduziria seus anseios. Deu mais atenção ao caçula e não se arrependeu. Aos cinco anos, David já ganhava o primeiro prêmio. Hoje, ele é um dos melhores e mais conceituados violinistas de sua geração, no mundo.

A convite da *TOP Magazine*, tive a chance de entrevistá-lo. Seria a primeira vez que eu entrevistaria um astro pop. Fiquei nervosa! O mais engraçado é que, por não ter o papel de jornalista no topo de meus afazeres cotidianos, meu melhor equipamento era um computador sem nenhum microfone externo. Isso porque tive de fazer a entrevista durante uma turnê pela Europa e, curiosamente, estava exatamente na Alemanha quando David já se encontrava em sua longa tour que o traria ao Brasil. Combinamos horário (pela diferença de fuso), abri o computador no Photo Booth (!) e conversamos. Cena clássica para bastidores, quase vergonhosa. Mas deu certo. O gravador do aplicativo captou sua voz e pude registrar nosso bate-papo.

Já no começo da conversa, deparei-me com um homem doce e gentil. A tour seria longa e apenas começava, em um voo que o levaria à Turquia. Ele estava um pouco atrasado, mas mesmo assim, e apesar da pressão do tempo, manteve tranquilidade sábia que me deixou à vontade para, inclusive, sentir sua excitação em visitar um país pela primeira vez. Contou que sempre sonhou em conhecer a Turquia, mas que somente agora o faria. Aproveitei a deixa para perguntar se também seria sua primeira vez no Brasil e ele disse que já havia estado por aqui, mas que seria a primeira vez que traria sua mistura de música clássica e popular.

Somente aos dezessete anos, quando foi para a Inglaterra, David teve a liberdade de sentir os próprios desejos, pois até então exercia os do pai. Percebeu, portanto, que poderia trazer músicas do pop internacional para seu universo clássico particular. Perguntei como as escolhia, pois sabia que foi por meio delas que se transformou em fenômeno pop. Ele explicou que intuitivamente percebia quais músicas seriam melhor traduzidas para o violino, assim como para suas emoções.

Quis saber também se ele tinha algum ritual para subir ao palco:
— Eu pratico.
— Muito?
— Umas quatro horas por dia.
— E quando você viaja?
— Talvez menos, mas o máximo que puder.
— O que faz para se cuidar durante as viagens?
— Me alimento bem e faço exercícios físicos.
— E encontra tempo para isso?
— Tempo é a gente quem cria.

Ele sabe que as prioridades estão ao nosso alcance, desde que tenhamos disciplina. Confesso que foi um exemplo para mim, pois sempre venho com a desculpa de que não tenho tempo para isso ou para aquilo durante viagens, principalmente no quesito atividade física. Bom, "tempo é a gente quem cria". Anotei em minha agenda pessoal.

Se fosse para escolher uma faceta de sua arte para entrar para a história, digo que Garrett está levando a música clássica a muitos jovens que talvez jamais deparassem com Mozart, Tchaikovsky, Paganini. Tudo bem que vestida de modernidade, mas, ainda assim, um estilo bem distante de seus iPods e iPads.

Terminei nosso papo pedindo que traduzisse em poucas palavras o que a música significa para ele: "A essência da paixão". Vendo suas performances ao vivo é impossível não perceber que esse belíssimo homem (que inclusive já foi modelo) sabe o que significa, na pele, o fascínio de estar vivo.

ED SHEERAN

Ele sobe ao palco sozinho com seu violão, microfones e pedais para criar uma sinfonia de sons e conduzir sua Ferrari imaginária. Começa com a pulsação de um encadeamento harmônico no violão, muda a marcha, sobrepõe uma batida no tampo percussivo do instrumento, dá outra mudada de marcha, acrescenta uma voz, mais uma, cria outra, inventa um coral. De repente freia e segue solo com voz e violão. Quando o refrão chega, acelera na marcha correta e atropela a todos com uma orquestra perfeita. Um verdadeiro e completo homem-banda.

Ed chega ao palco para cantar as próprias canções. No meio delas, muitas de amor, como *Lego House* e *Open your Eyes*. Mas aqui e ali fala de assuntos delicados, como o de uma adolescente chamada Angel, viciada em drogas, vendendo o corpo e morrendo de overdose em *The A Team*. Em *Small Bump* escreve lindamente a experiência de um amigo (embora tenha personalizado escrevendo na primeira pessoa) cuja esposa grávida perdeu o filho aos quatro meses. Romanticamente, fala "talvez você nascesse com meu cabelo, mas os olhos seriam de sua mãe".

Ed foi chamado pelo diretor Peter Jackson, do filme *O Hobbit – A Desolação de Smaug*, para escrever a música enquanto os créditos sobem ao final. Chegou ao estúdio, viu o filme, compôs a música e gravou; tudo num dia só. O rapaz realmente nasceu com um volante na mão e uma desenvoltura singular para se inspirar no que vê e emocionar com o que escreve. Dono de uma voz delicada e de um violão danado de bom, ajudou a levar, com sua *I See Fire*, uma grande quantidade de views para *O Hobbit*: algo em torno de 86 milhões!

No início da carreira, teve dificuldades e surfou muito pelos sofás de amigos e fãs. Mas aos poucos seu talento foi conquistando as salas de honra inglesas e começou a levar para casa praticamente todos os principais prêmios. Não precisou mais dobrar e desdobrar lençóis em hospedagens solidárias.

Ele começou na música muito cedo. Com apenas quinze anos já andava empunhando seu violão por estúdios ingleses. Porém, somente aos vinte lançou o primeiro CD: +. E aos 23 seguiu com o álbum X. Nomes sugestivos, não é? Ambicioso e competitivo (segundo ele próprio), não se satisfez com o sucesso britânico apenas. Ele queria também conquistar as terras além-mar. Afinal, seus conterrâneos Adele e Momford & Sons tinham conseguido; ele conseguiria também. Dito e feito, deslanchou nos Estados Unidos.

A invasão em terras norte-americanas aconteceu depois que a cantora Taylor Swift o convidou para comporem juntos *Everything has Changed*. Na carona da parceria, ele excursionou como convidado especial e assim fincou raízes.

Hoje Ed leva milhares de fãs inquietos para cantar com ele em sua incansável agenda. Tem casas na Inglaterra e nos Estados Unidos, mas mora mesmo pelos camarins e hotéis. Suas músicas têm estado nas paradas de sucesso pelo mundo todo.

Recém-saído da adolescência, Ed Sheeran escreve como gente grande há muito tempo e toca violão de forma espetacular há mais tempo ainda. Afina a voz por todos os lados e nos deleita com sua presença meiga, ruiva, fresh, tatuada, quase humilde. Aquele cara da casa ao lado. Um talento realmente especial.

Minha filha Sofia, com dez anos, o descobriu com seu mega hit *Shape of You*. E pelas rádios do mundo me conecto a ela através dessa canção.

Evelyn Glennie

A *Little Prayer* foi composta quando Evelyn Glennie tinha treze anos e já havia perdido 90% de sua audição. Ao longo dos anos, a simples canção teve várias interpretações e foi adotada por inúmeros projetos, sendo um deles o filme *Touch the Sound: uma viagem sonora com Evelyn Glennie*, documentário alemão dirigido por Thomas Riedelsheimer. No filme, Evelyn colabora com o músico experimental Fred Frith, entre outros, para explicar formas possíveis de se perceber o som.

Mas o que é o som? Se lermos a definição, veremos que ele viaja como vibrações pelo ar, como verdadeiras ondas. Transforma-se em sinais elétricos dentro do nosso ouvido e segue por nervos até chegar ao cérebro, quando assim o percebemos. Mas, e se a pessoa não tiver audição? Será possível ainda assim ouvi-lo?

Na verdade, o som, quando se propaga, não tem como destino único nosso ouvido. Quando nos atinge, atinge por inteiro, fazendo-nos vibrar por dentro e por fora, e não somente em nosso ouvido interno. Vou exemplificar: imagine-se dentro de um desfile de escola de samba. Seria possível não se contagiar? Não seriam também responsáveis por seu corpo se mexer o volume dos graves que faz o peito vibrar, a alegria dos corpos dançantes ao seu redor e a energia da música em si?

Agora, imagine-se dentro dessa mesma escola de samba com um tampão de ouvidos poderosíssimo que o impedisse de escutar o som da bateria. Você acha que se sentiria impossibilitado de sentir a vibração daquela música e daquele ambiente? Com certeza você ainda sentiria o peito vibrar por conta do volume e, através dessa vibração, continuaria sentindo a pulsação das batidas dos tambores e poderia prosseguir dançando. Você também continuaria sentindo a alegria das pessoas e se contagiando, não da mesma forma, mas de outra, equivalentemente transcendental.

Todavia, podemos ainda perguntar como seria ouvir essas vibrações em ambientes onde não há o mesmo volume sonoro de uma escola de samba. A resposta seria a mesma, pois o som continuaria sendo fabricado em algum lugar e chegaria até você da mesma forma, só que bem mais sutilmente. É é aí que a percepção de pessoas como Evelyn nos envolve. Se tivéssemos a oportunidade de ouvir o universo pelos ouvidos dela, poderíamos entrar em contato, talvez, com outras belezas, como as das dimensões de um mundo mais silencioso. Poderíamos desenvolver outras percepções e descobrir que, pelo fato de cada nota musical ter sua frequência vibracional específica, é possível desenvolver a capacidade de sentir cada uma delas de uma forma distinta em nosso próprio corpo. Talvez vivêssemos em um modo meditativo, com vibrações circulando literalmente à flor da pele.

Evelyn sempre se apresenta descalça, justamente para poder sentir a vibração também pela sola dos pés. Ela é capaz de afinar com precisão os tímpanos de uma orquestra quando encosta seu pé no corpo do instrumento, por exemplo. Em meu pequeno mundo de exploração musical, posso, de alguma forma, compactuar com a força que o som exerce internamente, assim como a conexão telúrica que acontece quando encosto meus pés descalços no palco. Quando emito um som com a voz, sinto que, ao apertar os dedos do pé contra o chão, completo um ciclo de afinação. Sinto também que os pés desnudos me trazem outro tipo de energia. É como se eu me neutralizasse para receber as verdades de cada canção. Somente depois de descobrir o universo vibracional de Evelyn, no entanto, é que pude perceber que também gosto de me apresentar descalça para sentir as vibrações que viajam sonoramente pelo espaço ao meu redor, desenhando assim um ciclo de energia.

É interessante ressaltar que, se não soubermos que Evelyn é surda antes de conhecê-la, nunca desconfiaríamos. Ela foi perdendo a audição lentamente (entre oito e treze anos) e, antes que a surdez total a invadisse, ela já sabia falar e já tinha tido contato com a música. Seu interesse pelo universo musical nasceu como pianista antes dos dez anos, mas foi com doze (e à beira da surdez) que descobriu completa sinergia com a percussão. A partir daí, quando ficou totalmente surda aos treze, foram inúmeros os processos de busca, frustrações, superações e descobertas. Por sorte, teve um professor que embarcou com ela na caravela do desconhecido e juntos desbravaram mares nunca antes navegados.

Quando falamos sobre Evelyn, não podemos dedicar nosso tempo apenas ao fato curioso de ela não ouvir e às sucessivas superações que deve ter enfrentado para se aceitar e ser aceita. Ela foi responsável por algo muito maior do que sua jornada pessoal. Foi por causa dela que todo um sistema educacional de música se transformou, quando enfrentou a recusa como estudante pelas instituições convencionais. Evelyn desafiou seus desafiadores e venceu. Provou ser possível não somente o estudo e a profissionalização de músicos surdos, mas de todos aqueles considerados imperfeitos e incapacitados para exercer a arte da música. Ela desafiou toda ideia ao redor do que é ou não ser normal. "Somente na presença de cinco sentidos podemos ser aceitos pela sociedade? Somente se tivermos todos os membros podemos desenvolver nossa musicalidade?" Sua batalha foi contra o preconceito e venceu em nome de toda uma classe de pessoas brilhantes e injustamente afastadas pelo sistema. Todos, independentemente de nossos "defeitos" e "imperfeições", somos capazes de desenvolver linguagem musical. Evelyn tornou-se referência. Ela plantou sementes de igualdade e aceitação.

Se parássemos de compartilhar toda a importância dessa grande artista com o que falamos até aqui, poderíamos já nos considerar satisfeitos, porém tem um outro detalhe muito incrível: Evelyn é a primeira pessoa na história a obter sucesso e manter uma carreira em tempo integral como percussionista sinfônica!

Ela acredita que parte de seu sucesso seja por estar sempre encomendando obras para jovens compositores do mundo. São mais de 200 peças escritas em seu nome e entre elas *Ad Infinitum*, composta por minha sobrinha Clarice Assad. Orgulho!

Com mais de 80 prêmios internacionais, Evelyn continua a inspirar e motivar pessoas e não somente músicos ou deficientes auditivos. Até hoje ela investe na realização da missão de ensinar o mundo a ouvir. "A vida está cheia de desafios, mas sempre podemos encontrar formas alternativas de abordar nossas dificuldades, o que muitas vezes levará a novas descobertas. Minha carreira e minha vida foram sempre ao redor da ressignificação do ouvir. Perder minha audição significou aprender a ouvir de forma diferente, para descobrir características do som que eu não desconfiava existir. Perder minha audição me fez uma ouvinte melhor."

HOZIER

Hozier cruza o céu como mais um fenômeno meteórico no universo musical do momento. Apesar de ter nascido na era digital (1990), foi no interior da Irlanda que sua mãe engravidou e, sem muito acesso à internet, passou a infância e a adolescência inventando seu próprio sistema solar. Entre as muitas estrelas que ia descobrindo e colando em sua parede mental, teve o privilégio de ganhar de presente do pai o conhecimento de alguns astros como Muddy Waters e Nina Simone.

John Byrne era baterista de blues em Dublin quando Hozier era criança e diretamente o influenciou em suas descobertas musicais, e além. Por um desses acontecimentos que nos tiram da órbita, aos sete anos Hozier teve a infância interrompida quando o pai, após uma infortuna cirurgia para corrigir um problema na coluna vertebral, ficou enclausurado em uma cadeira de rodas, vivendo à base de morfina. "Quando você vê alguém que ama dopado para calar a dor, você fica observando aquela pessoa desaparecer aos poucos e de muitas maneiras."

A partir de então, sua casa virou um lugar onde todos sentavam-se para exercitar pensamentos em voz alta: "Havia muito debate em nossa mesa de jantar. Alguém sempre tinha uma opinião própria e falávamos abertamente sobre tudo. Eu poderia dizer que o acidente de meu pai foi um fator decisivo na minha formação. Com isso, colori a lente que vejo o mundo de uma forma diferente. Eu não sei realmente como meus pais conseguiram manter a família unida e sã, porque não tínhamos nem um centavo. Agradeço imensamente minha mãe, pois de alguma forma ela conseguiu me devolver a infância".

Entre os assuntos debatidos, estavam alguns mais delicados – como os que permeiam conceitos religiosos. "O dano causado pela Igreja ao povo da Irlanda é completamente irreparável, causando certa ressaca cultural. Você encontra um monte de gente andando com seus corações pesados por consequentes decepções, e essa droga toda é passada de geração para geração. Ainda há segmentos do noticiário, por exemplo, que perguntam ao padre local o que ele pensa. Por que se considera que a Igreja é uma organização que ainda tem alguma posição moral? Seu histórico é simplesmente terrível!"

Com pensamentos próprios, Hozier compôs *Take me to Church*. Com esta canção, ele transgrediu e se consagrou. Sua letra detalha a frustração com a igreja católica e sua posição sobre a homossexualidade. "A sexualidade e sua orientação, independentemente do gênero, é algo primordialmente natural. Um ato sexual é uma das ações mais originalmente humanas, mas uma organização como a Igreja, e suas doutrinas, coloca o assunto em pauta e ensina, infelizmente com sucesso, que uma orientação sexual entre o mesmo sexo é pecaminosa, por exemplo. Esta canção é sobre afirmar-se e recuperar sua humanidade através de um ato de amor, abraçando todos os gêneros, sem distinção."

O vídeo de *Take me to Church* foi dirigido por Brendan Kanty e acabou instantaneamente viral na internet. Em um preto e branco austero, vemos um homossexual ser brutalmente espancado por uma gangue de homofóbicos, enquanto seu amante assiste impotente. Eles conseguem, assim, ir direto à mensagem central da canção, sem medo de repressões.

Muito profundo este Hozier. Ele sabe que amor é este sentimento que nos falta, que por ele vivemos e a ele devemos tudo. Não importa se amamos alguém do mesmo sexo, não importa se amamos alguém de outra raça, cor, crença, classe social. Hozier fala sobre isso com revolta nas palavras e paz no coração. Quer discutir, quer ser cidadão de um mundo melhor, onde possamos ser realmente livres para escolher por meio de nossos sentimentos mais nobres e profundos.

Em meu CD SINGULAR (2016) resolvi dedicar-me a jovens artistas, de vários cantos do mundo, profundos em seus conteúdos musicais. Minha reverência. Quando deparei com a (ainda pequena) obra de Hozier, deparei também com a dificuldade de escolher qual música reler. *Take me to Church* é muito forte e poderia facilmente caber em minha boca, mas ela é muito jeito Hozier de ser. Praticamente impossível levá-la para outro universo sonoro. Optei, portanto, à regravação de *Sedated*. Canção que trata sobre estarmos impregnados, drogados, sedados com a superficialidade que invadiu a existência nos últimos tempos. E, como qualquer outra droga, podemos ser paralisados pelo doce-amargo deste vício, num loop constante de prazer e insatisfação.

Obrigada! Por trazer temas existenciais de volta à cena, filosofar sobre eles e levá-los a tantos outros jovens massacrados pela ignorância, obrigados a engolir conteúdos medíocres e, pior, passando a acreditar neles. Infelizmente faz tempo que a indústria da música virou entretenimento supérfluo. Mas não seria a arte alívio para nossas almas? Hozier acha que sim.

Jamie Cullum

Vou chegar a Londres, mas antes tenho que contar: eu tinha acabado de atravessar o oceano para morar novamente no país onde nasci. Só que dessa vez para acalentar-me nos braços de mim mesma, depois de muitos verões. Casada e separada na virada do século, retornei dos Estados Unidos para dar boas-vindas à nova era, em São Paulo e solteira.

Foi aí que escutei Jamie Cullum pela primeira vez. Ainda não conhecia a performance que o fez famoso, mas o que ouvi foi suficiente para me enamorar. Jamie era tradição com modernidade. Tinha uma voz meio rouca, meio antiga, que contradizia sua juventude palpitante. Seu piano soava moderno ao mesmo tempo que tradicional, seus improvisos eram contemporâneos e simultaneamente clássicos. Jamie misturava jazz e pop com distinta excelência. Um jazzista inveterado no corpo de um moleque que, em minha seguinte descoberta, saltava pelo palco com atitudes de pop star.

Somente em 2006 pude assisti-lo ao vivo. Eu estava em Lisboa para divulgar meu WONDERLAND quando soube que ele se apresentaria no mesmo festival. Eba! Só que dessa vez eu já tinha me casado novamente, com o greco-americano Dimitri, e no ventre trazia Sofia, minha primeira e única filha. Jamie cantaria para nós. E cantou, lindamente. Como eu imaginava, ele era aquilo tudo e mais um pouco. Era também muito divertido. Contou para 5 mil pessoas, por exemplo, e sem problema algum, que apesar de adorar a comida portuguesa estava se arrependendo de ter comido antes do show, pois de minuto em minuto aquele melhor bacalhau de sua vida não parava de lembrá-lo o que tinha tido no jantar. Nos conhecemos no backstage e ali estava uma pessoa normal. Bom saber, pois vou lhe contar: às vezes as celebridades não são.

Jamie começou a tocar piano ainda menino, e no começo de seus vinte anos tocava com grupos de estilos completamente diferentes, ansioso para que algum deles decolasse: o rock alternativo da banda britânica Taxi, a psicodelia da Red Shift e o heavy metal de High Voltage. Ou seja, enquanto revelava a amplitude de seus interesses musicais, aproveitava essa gama de experiências para construir o músico que hoje conhecemos.

Também como pianista de jazz, ele tocava no circuito de festas, casamentos, bar mitzvahs etc. Já havia feito mais de mil shows antes de se formar na Reading University, na cidade de Reading, no Reino Unido. Inclusive, foi o dinheiro desses shows que pagou sua educação universitária. Podemos dizer que essas apresentações de alguma forma contribuíram para o desenvolvimento de sua performance em cena, quando tinha que envolver uma audiência completamente apática, que não estava nem aí para quem estivesse sentado atrás do piano. Com o dinheiro no bolso e uma reputação crescente como grande pianista (e não apenas um cantor de casamento), Jamie gravou seu primeiro álbum JAMIE CULLUM TRIO – HEARD IT ALL BEFORE. Gastou 480 libras esterlinas para as 500 cópias. Hoje, essa gravação virou relíquia e está disponível no eBay por mais de 800 dólares cada.

Desde então, Jamie não parou. Foi uma conquista atrás da outra: o BBC Jazz Awards concedeu-lhe o prêmio de revelação, ele se apresentou para Her Majesty, a rainha, na comemoração de seus 50 anos no trono, a ITV (Televisão Independente do Reino Unido) transmitiu seu *South Bank Show*, que era uma honra normalmente concedida somente aos artistas que já tinham atingido um status lendário... Ou seja, Jamie Culum já tinha subido muitos degraus, mas naquele momento havia pegado um elevador.

Jamie continua saltitante por aí. Em 2010, casou-se com uma ex-modelo, Sophie Dahl, e conta que ao conhecê-la achou que ela era muita areia para o seu caminhãozinho. Mas, despojado que é e sem expectativas, a tratou como um ser humano normal. Hoje, eles têm duas filhas.

Jamie pode ter virado pai, mas continua o mesmo moleque de sempre, pelo menos nos palcos da vida.

MARI BOINE

Mari Boine nasceu onde a aurora boreal é uma beleza corriqueira, o frio de –40° C, algo normal, e os dias escuros, uma eternidade durante o arrastado inverno. Cresceu achando natural ter dias de Sol ininterrupto pairando sobre a cabeça, quando o Sol da meia-noite acontece, nas datas próximas ao solstício de verão. (Há alguns anos me apresentei no Pori Jazz Festival na Finlândia e pude vislumbrá-lo.)

Nasceu em Gamehisnjarga, extremo norte da Noruega. Filha de indígenas que viviam da pesca do salmão, passou a infância entre rios, gelo, árvores e gnomos. Foi no meio dessa realidade fantástica que descobriu a música, mais especificamente o yoik (canção tradicional sami, com um profundo senso espiritual, embalada pela Natureza).

Muito cedo descobriu que seu povo sofria preconceitos como, diga-se de passagem, todos os indígenas e minorias que conhecemos. Mas ela não se submeteu e lutou, usando a música como flechas. Seu tema era, em muitos casos, o sentimento de pertencer a essa minoria. Insistiu. Transgrediu. Peter Gabriel a encontrou e o mundo a descobriu.

Mari Boine mudou o curso de sua história. Hoje o povo sami tem orgulho de sua origem, cultura, tradições. Ela conseguiu que a língua e a voz de seu povo não morressem.

Como cresceu envolvida pela espiritualidade, quando não canta em protesto, canta sobre estar viva, sobre o respeito à Natureza, aos animais. Sua música adicionou rock e jazz ao ancestral yoik, inventando uma receita musical que temperou as tradições e a serviu para o mundo. Seu som é xamanicamente hipnótico, denso, profundo. Coloque Mari no momento em que quiser transcender ou visitar algum outro mundo. E lá com certeza você vai me encontrar, girando psicodelicamente, vendo a aurora boreal beijar o Sol que nunca dorme e enfrentando o frio abaixo de zero, mas aquecida pelos tambores que vibram no coração.

mariza

Mariza não nasceu em Portugal, mas em Moçambique. Sua primeira forma de expressão musical não foi o fado, mas o funk, como cantora do grupo Funkytown. Sua aparência não é bem a de uma tradicionalista, e sim a de uma artista contemporânea, com cortes de cabelo ousados (bem curtos, platinados, rendados), tatuagens e vestidos de alta costura. Seu primeiro disco não encontrou morada em Portugal, mas na Holanda. Sua primeira grande visibilidade não aconteceu em seu país, mas em um programa televisivo britânico de música contemporânea, o Later with Jools Holland, apresentado pelo ex-tecladista dos Squeeze, e não foi como convidada original, mas como substituta da cantora islandesa Björk, que cancelou sua participação por ter ficado rouca.

Sem muita expectativa, o público levou um susto quando esse amálgama inusitado e de história misturada gestou a mais retumbante fadista de sua geração e de muitas que virão. Em menos de dez anos de carreira, ela passou do aplaudido anonimato em pequenas casas de fado em Lisboa para a cena internacional como uma das mais importantes estrelas do universo da world music. Não é brincadeira!

Curiosamente, há uma versão da origem do fado que diz que ele teve influências da África. Pois bem, é de lá que Mariza também veio e ambos foram se encontrar em Portugal. "Eu cresci na Mouraria, fui para lá com cinco anos e meus pais tinham um pequeno estabelecimento onde organizavam saraus fadistas. Comecei a gostar daquele ambiente. Até os treze anos era o que eu cantava. Depois me envolvi com bandas de soul e funk, mas sempre que tinha oportunidade voltava ao fado."

Na verdade, o fado é o resultado de uma fusão histórica e cultural que ocorreu em Portugal, surgido na segunda metade do século XIX e embalado pelas correntes do romantismo: exprimindo a tristeza de um povo, sua amargura pelas necessidades básicas, mas sempre capaz de induzir esperança. Quando ouvimos alguém cantar o fado, ouvimos um lamento que atinge o coração dramaticamente.

Tendo como inspiração a saudosa e imortal Amália Rodrigues, o primeiro disco de Mariza, FADO EM MIM, foi composto por pérolas de seu repertório que encontraram eco em sua própria voz. Assim como Amália, que foi a principal representante do fado moderno, popularizando fados com letras de grandes poetas como Luís de Camões, Mariza lançou, já em sua estreia, a canção *Ó gente da minha terra*, do jovem compositor Tiago Machado, que imediatamente se tornou um grande sucesso por direito próprio.

Em apenas dois anos e antes mesmo de gravar seu segundo projeto, FADO CURVO (2003), Mariza já tinha seduzido milhões de pessoas em suas impecáveis performances. Ela havia subido em palcos como o do Festival de Verão do Québec, onde recebeu o primeiro prêmio (melhor performance), o do Central Park (em Nova York), o do Hollywood Bowl, o do Royal Festival Hall e o do Festival WOMAD – que acabou lhe entregando o prêmio da BBC Rádio 3 como melhor artista europeu em world music.

A revista *Rolling Stone* escreveu: "Fado é a música tradicional de Portugal – orgulhoso, austero e profundamente melancólico. Mariza é sua maior estrela por uma razão, ela não o canta com nostalgia apenas, mas tão exuberante quanto uma pop star do século XXI. Transformando a antiga tristeza do fado em um majestoso e moderno som". Mariza, apesar de dramatizar o fado como lhe é de direito, o faz com leveza profunda. É como se fosse um mergulho no mar de olhos abertos, sem sentir nenhum ardor, ou ainda como se subíssemos ao Everest sem nos faltar o ar. Uma contradição que soma. Profundidade da leveza.

Lembro quando, em 2003, meu agente americano, Itzik Becher, ligou-me para perguntar se eu conhecia aquela cantora de fado loura, de aparência minimalista. Eu ainda não a conhecia, mas ele disse que estava em uma conferência no Joe's Pub, em Nova York, e que haveria um showcase dela. Quando Itzik a ouviu, disse não saber explicar muito bem, mas as lágrimas começaram a molhar seu rosto. É este o poder do fado e de seus cantores: entrar pelos ouvidos e escorrer direto pela face.

Um ano depois, tive a oportunidade de estar com ela na ocasião em que abri seu concerto no L'Opéra de Paris. Foi emocionante entrar naquele palco grandioso e cantar para 6 mil pessoas apaixonadas pelo fado. Obviamente não é o que eu canto, mas dei meu recado. Depois que minha participação acabou, corri para a plateia para vê-la. Chapei. E ainda mais quando, ao final, ela e o violonista deixaram seus microfones e se acomodaram bem no proscênio. Totalmente a capella e sem recurso de amplificação, Mariza cantou e António Neto tocou. Então presenciei o mesmo sentimento que Itzik, pois meus olhos se umedeceram e pude sentir o mar sem ardência, assim como fui conduzida ao topo do mundo sem, contudo, me faltar o ar.

Mumford & Sons

Em minhas recentes pesquisas musicais encontrei um grupo de jovens que me fez parar para refletir. Mumford & Sons são ingleses. Ah, esses ingleses...

O líder do grupo, Marcus Mumford, se juntou aos outros multi-instrumentistas Ben Lovett, Winston Marshall e Ted Dwane para criar a banda que vem conquistando como um furacão o mundo folk-rock internacional. Eles dizem que não é completamente certo os designarem somente como folk-rock, mas a influência é inegável.

Quando criaram a banda queriam um nome que invocasse a ideia de um "conceito de empresa familiar antiquado". De fato, quando olhamos suas fotos, parecem saídos de um escritório antigo de alguma avenida cosmopolita, todavia moderna.

Ainda em minhas pesquisas encontrei fóruns online discutindo os significados de suas letras. Todos da banda compõem, mas a maioria das poesias são de Marcus, que traz algo muito pessoal na escrita. Não temos certeza se ele está falando da mulher amada ou dialogando com Deus.

Seus pais, Eleanor e John, foram os fundadores da Igreja Vineyard na Inglaterra: uma espécie de igreja evangélica que pratica a cura pela fé, enfatizando o poder do Espírito Santo. Sendo assim, ele teve a personalidade moldada por ensinamentos cristãos. Quando adolescente, porém, descobriu suas próprias crenças e começou a desenvolver uma forma própria de se comunicar com seu próprio Deus. Então começou a escrever para tirar de si o peso da angústia.

Quando os gravei escolhi *Little Lion Man*, uma canção que diz que "Apesar de termos nascido com a coragem de um leão no coração, muitos se deixam cair nas garras do cinismo, minimizando coragem e fé. Um leão que se recusa a crescer quando desperdiça sua preciosa energia em problemas que realmente não importam. Um pequeno leão que apesar das aspirações absolutas e idílicas, se emaranha na baixo autoestima e acaba se enclausurando na incapacidade da evolução". Profundo...

Mumford & Sons redefine a música de sua geração quando, além de trazer conteúdos incomuns, opta por tocar instrumentos acústicos como banjos, violões (ao invés de guitarras) e percussões (ao invés de baterias). Tratando o sexo, em *Broken Crown*, por exemplo, como uma tentação que seria melhor se fosse evitada. Um jovem falando isso? Existe um fascínio em torno deles. Os temas são questionamentos sobre a vida, amor, solidão... Nossas eternas questões?

O resultado sonoro de Mumford & Sons é feroz, ácido, percussivo. A voz de Marcus rasga o ar. Um pouco frágil aqui, um tanto agressiva acolá, mas sempre penetrante. Suas poesias fazem milhões de outros jovens mundo afora voltarem a pensar, através da música. Eles misturam suas próprias indagações com Shakespeare, Homero e metáforas bíblicas... Eu já desconfiava que eram idos os tempos em que o pensamento estava impregnado nas canções e que tínhamos nelas possibilidade de questionamentos. Eu já desconfiava que tínhamos perdido na evolução da indústria da música pop internacional. Um pouco como o *Little Lion Man*, vamos desperdiçando nosso precioso potencial em superficialidades. Mas grupos como Mumford & Sons chegam para provar o contrário. Avoé!

Marcus chama o músico Bono, do U2, de "O Profeta" por ter mencionado, em 1985, que em contraponto à era eletrônica viria algo totalmente natural, orgânico, acústico, trazendo de volta aos campus universitários a memória de algo que se havia perdido... E a revista *Rolling Stone* de março de 2013, em uma matéria de capa, complementa: "Para as crianças que nascem num mundo onde robôs roubaram nossos trabalhos e onde tudo que era sólido derreteu-se no ar, há algo profundamente confortante nos Mumford, quando em êxtase condensam madeira, aço, vozes e sentimentos num caldeirão moralmente inquieto".

E eu daqui agradeço, pois afinal não estou sozinha!

Paco de Lucía

Em 2010, a ONU declarou o flamenco, nascido na Espanha, como Patrimônio Cultural Imaterial da Humanidade. Quando o ouvimos, estamos degustando um estilo que remonta à cultura cigana e mourisca, com influência árabe e judaica. Muitos dos detalhes do desenvolvimento dessa cultura se perderam e uma das principais razões foi a Inquisição Espanhola, que atuou por quase quatro séculos combatendo as manifestações consideradas heréticas e perseguindo todos os povos envolvidos nessa criação artística.

Apesar do passado de fuga, luta, esperança, revolta e orgulho, o estilo sobreviveu e continuou a evoluir, trazendo em seu cerne profunda carga emocional. Por isso, entendemos o motivo da expressão de dor, seriedade e altivez dos artistas flamencos em sua manifestação musical e coreográfica.

O flamenco, em suas origens, era expressado somente pela voz. Depois vieram o violão, palmas, sapateado e dança. Um dos artistas mais importantes e o de maior sucesso internacional no estilo, assim como o responsável por espalhar o flamenco pelo mundo, foi o violonista andaluz Paco de Lucía.

Os estudos de Paco ao violão começaram quando tinha apenas cinco anos, e seu pai, o também violonista flamenco Antonio Sánchez, o obrigava a passar várias horas (dizem até que doze) por dia estudando. Como o menino demonstrava talento nato, em certo momento foi até retirado da escola convencional para poder se dedicar única e exclusivamente ao flamenco. Paco certa vez disse que aprendeu a tocar violão da mesma forma que uma criança aprende a falar. Também é outra frase sua: "Aquele que tem mais técnica mais facilidade terá para se expressar. Se você não possui técnica, você perde a possibilidade de criar livremente". Ou seja, ele realmente abraçou o ensinamento paterno, e com sua dedicação transformou-se, ao seu modo, em um dos mais brilhantes, admirados e conhecidos violonistas do planeta!

Seu primeiro concerto aconteceu quando tinha onze anos; aos doze ganhou prêmio especial no Concurso Internacional Flamenco de Jerez de la Frontera, e aos catorze gravou o primeiro disco, ao lado do irmão cantor Pepe de Lucía, LOS CHIQUITOS DE ALGECIRAS.

Até os vinte anos, todos os seus trabalhos tinham sido dedicados ao flamenco tradicional, mas ele não imaginava que o convite para participar do Berlin Jazz Festival, em 1967, influenciaria não somente o curso de sua música, mas também o de toda a história do flamenco, pois foi ali que, pela primeira vez, ouviu o jazz de Miles Davis e Thelonious Monk. Como resultado, uma aura jazzística em suas improvisações começou a ser percebida, e essa experiência contribuiu para a criação do movimento que aflorou nos anos 1980: o novo flamenco.

Em 1981, Paco formou um trio ao lado dos violonistas Al Di Meola e John McLaughlin, e FRIDAY NIGHT IN SAN FRANCISCO é considerado um dos mais influentes álbuns gravados ao vivo de toda a história do violão no mundo! Com mais de 1 milhão de cópias vendidas, esse trabalho foi responsável por gerar um interesse significativo na música flamenca. Foi nessa época que entrei em contato com o trabalho deles e fui despertada para o estilo de Paco. Eu já conhecia o flamenco de longe e achava interessante, mas foi somente depois daquela gravação ao vivo que minha curiosidade transbordou. Passei a ouvir flamenco frequentemente e timidamente incorporei os tais rasgueados em meu tocar. Digo timidamente porque, para tocar como qualquer violonista flamenco, ou você se dedica à arte, ou se dedica. Não há outra saída. Então faço-o à minha maneira, abrasileirando-o da melhor forma que posso. Foi também ali que aprendi a apoiar o violão na perna direita. Até então, eu o abraçava como uma violonista erudita, na perna esquerda e com o pé apoiado sobre um banquinho apropriado. Libertação, pois pude assim explorar outras movimentações com o corpo ao mesmo tempo em que dedilho o violão, e o que veio depois é história. E dá-lhe história.

Paco também foi o encarregado de levar pela primeira vez o flamenco ao mais importante e nobre teatro de ópera da Espanha, o Teatro Real, assim como o responsável por introduzir o cajón como representante rítmico do flamenco. Muitos acham que esse instrumento percussivo de origem afro-peruana esteve sempre presente na alma flamenca, mas foi somente no grupo de Paco, e nas mãos de um brasileiro, Rubem Dantas, que isso aconteceu pela primeira vez. O que também me trouxe um pouco de autoridade para misturar meu cajón (que aprendi a tocar, também à minha maneira) com os violões eruditos dos meus irmãos, nos concertos que ainda fazemos em família: Sérgio, Odair, eu e minhas sobrinhas, Clarice e Carolina.

Quando Paco toca, perdemos a noção da barreira entre técnica, virtuosismo, rapidez, profundidade e elegância. Apesar de sua aparência compenetrada, fora do palco ele é dono de um humor natural e sua voz doce contrapõe-se à seriedade. A revista *Down Beat* certa vez descreveu-o como "O retrato da concentração e da perfeição: rosto rígido e severo, com um ar distinto que alguns podem interpretar como altivez; mas Paco é majestoso, como um pássaro árabe real, ainda assim capaz de revelar grande poder e elegância".

Casou-se duas vezes. A primeira com a filha de um general do governo franquista, Casilda Ampuero. Algo totalmente inaceitável. Como uma filha da aristocracia se casaria com um violonista flamenco, supostamente ligado à boemia? Então, de alguma forma, essa também foi outra das grandes conquistas dele, pois o músico flamenco naquela época era ainda associado com pessoas sem formação e sem maneiras. Não mais. Foram casados durante 25 anos e tiveram três filhos. Ainda juntos, mudaram-se em 1992 para o México, pouco depois da morte do grande cantor de flamenco, amigo e parceiro musical (com quem Paco gravou dez discos) Camarón de la Isla. Porém, Paco não parou de excursionar e as inúmeras viagens acabaram esfriando o amor retumbante de outrora. Se separaram.

Foi então que Paco se apaixonou pela jovem historiadora de Artes Gabriela Canseco. Com ela teve dois filhos, mudou-se para Cuba e encontrou, em seus últimos anos de vida, paz semelhante à de sua cidade natal, podendo assim proporcionar aos filhos infância parecida à que teve em Algeciras.

Em 2014, o coração de Paco se cansou da devoção intensa às viagens e aos cigarros e parou de bater. Todavia, não se despediu sem viver grandes amores. Por meio da música sempre expressou, de forma profunda e sentimental, todos eles. Em seus rasgueados podemos sentir a paixão que o fez encarar tudo e todos para se casar com uma filha do franquismo, assim como em suas escalas melódicas podemos sentir seus beijos apaixonados por Gabriela, vinte anos mais nova, à beira do mar. Porém, foi nos braços da guitarra (como é chamado o violão na língua espanhola) que Paco debruçou-se a maior parte de sua vida, em total devoção e amor profundo, nos revelando a profundidade da alma flamenca e a sua própria. Salve Paco!

STING

Ele traz um olhar penetrante desses que amortece como picada de abelha. Sua voz é uma mistura de veludo e seda com uma estampa floral de cravos e hibiscos. Chamem a polícia! Temos um sedutor pelas ruas!

Se você chamá-lo de Gordon, ele provavelmente vai ignorá-lo, por não reconhecer de imediato o nome que traz no passaporte. Mas se você o chamar de Sting, prontamente receberá seu olhar. Segure-se. Se ele resolver cantar, você ficará hipnotizado.

O britânico nascido em 1951 é filho da cabeleira Audrey e do revendedor de leite Ernest. Quando tinha dez anos, dois acontecimentos moldaram seu futuro: assistindo ao desfile real, recebeu um aceno da rainha-mãe Elizabeth, mãe da Rainha Elizabeth II. De dentro de seu Rolls-Royce, a rainha não apenas foi gentil mas acenou-lhe sonhos, daqueles que desviam perspectivas. No caso de Sting, o destino de estaleiros e ordenhas foi substituído por uma vida mais glamorosa de viagens e estilos. O outro acontecimento: um surrado violão espanhol foi deixado em sua casa por um amigo do pai e o instrumento virou obsessão.

O jovem Sting estudou em uma escola de gramática mas enquanto a álgebra descansava-se dos números, ele frequentava casas noturnas para curtir as bandas Cream e Manfred Mann, que vieram, anos mais tarde, a influenciar sua música. Ainda antes de assumir a veia artística, foi motorista de ônibus, trabalhador de construção, fiscal e professor. E, entre uma aula e outra, o mestre começou a tocar jazz pelos clubes de Newcastle.

Em 1977, mudou-se para Londres, onde conheceu Steward Copeland e Andy Summers. The Police nascia. A banda foi uma das expoentes do gênero new wave, que se qualifica por trazer laços com o punk rock, afastando-se do blues suave e do rock'n'roll, criando um pop que incorpora música eletrônica e experimental.

O grupo foi sucesso estrondoso e espalhou-se pelo mundo. Porém, em 1984, Sting desgarrou-se e foi lançar seus zumbidos em carreira solo, que seguiu na mesma linha de sucessos e conquistas.

Enquanto solista, Sting não se alimentou apenas de um néctar. Ele sobrevoou jardins diversos como o da música indiana (quando convidou a citarista Anoushka Shankar em SACRED LOVE), ou da música barroca (ao lado do alaúde de Edin Karamazov em SONGS FROM THE LABYRINTH), ou ainda da clássica (acompanhado da Royal Philharmonic Concert Orquestra em SYMPHONICITIES).

Além de cantar, ser contrabaixista e compor, ele é ator e ativista. Como ator, participou de diversas produções e atuou como ele próprio em tantas outras, como no episódio Radio Bart, dos divertidos Simpsons. Ou seja, ele sabe rir de si próprio e isso também computaremos como mais um de seus atributos.

Como ativista, já apoiou instituições como a Anistia Internacional e Live Aid. Em suas viagens militantes, tornou-se amigo pessoal do nosso cacique Raoni. Por falar em Raoni, foi graças ao Sting que ele obteve atenção pública internacional e convergiu olhares para seus problemas. Em setembro de 1988, Sting o levou para uma conferência de imprensa antes do show Human Rights Now! – Amnesty International Tour, em São Paulo. Após o impacto desse evento, Sting e sua esposa, Trudie Styler, se tornaram cofundadores da Rainforest Foundation, com objetivo inicial de apoiar projetos do Raoni, como a demarcação do território Kayapó, ameaçado pela invasão. Agradecemos.

Em 1998 tive a surpresa de, em uma apresentação em Montreal (Canadá), ter Andy Summers na plateia. Já no camarim trocamos contato. Pouco tempo depois recebi um telefonema em São Paulo dizendo que Andy Summers se apresentaria na cidade ao lado de Roberto Menescal e tinha somente convidado uma pessoa: Eu. Saí correndo! Nessa época ele tentou me aproximar de Sting, mas não tivemos sorte. Seus voos são sempre muito altos. Porém, recentemente conheci um de seus instrutores de ioga em Chicago, Quinn Kearney. Quem sabe um dia faremos ioga juntos? Com certeza vou errar todas as asanas ou ficarei com torcicolo por tentar, ao mesmo tempo, investigar suas posturas. Ou quem sabe entre uma respiração e outra eu consiga atraí-lo? Explico: Bhramari Pranayama é uma técnica de respiração que acalma instantaneamente a mente. É um dos melhores exercícios para liberar a mente da raiva, agitação, frustração e ansiedade. E sabe de onde o nome dessa técnica é derivado? De uma abelha negra indiana chamada Bhramari. Boa coincidência, não? Ou seja, talvez meditando eu consiga mostrar para ele meu silvo. Sonho meu, sonho meu...

Enquanto isso não acontece, tive o prazer de assisti-lo ao vivo em São Paulo. Incrível testemunhar que para ele o tempo não passa. Apesar de estar preparada, não consegui escapar de algumas doses de ferroadas doces e acabei polinizando-me de música boa e mel.

Bay of Bonaventura
Malpelo
G. de Guayaquil
C. Blanco
Cape Verde
Truxillo
A M A Z O N I A
Mostly Unknown
B R A
LIMA
Callao
C. St. Nicolas
Arica
P A R A G U A Y
Santos
R. S. Francisco
I. St. Catherina
Porto San Pedro
Valparaiso
Juan Fernandez
C. St. Maria
Rio de la Plata
C. St. Antonio
Arauco
Valdivia
Castro
Chiloe I.
Camarones Bay
Bay of St. George
Puerto Deseado
Port St. Julian
FALKLAND Is.
Falkland Sound
STRAITS
Staten Land
A T

Map of the South Atlantic showing Brasil and African coast with voyage tracks

as doces bárbaras

Duas filhas de Iansã, duas baianas, duas marias nascidas com apenas um ano de diferença. Maria da Graça Costa Penna Burgos chegou primeiro, em 26 de setembro de 1945, enquanto Maria Bethânia Viana Teles Veloso, em 18 de junho de 1946. Ambas vieram predestinadas à música, com a incumbência de virarem lendas, duas doces bárbaras.

No início da adolescência, a primeira Maria foi abduzida por uma voz mansa e intimista que chegava contracantando todas as corpulentas que tocavam na rádio à época. Maria da Graça, aos quinze anos, começava a cantar daquela forma e a se acompanhar ao violão pelas festas de Salvador. Mais tarde, esta voz libriana degustaria o primeiro de muitos equilíbrios em sua balança existencial. Aquela mulher de voz mansa se transformaria em leoa.

Enquanto isso, em Santo Amaro da Purificação, Maria Bethânia também se descobria, e aos treze anos se mudou com o irmão Caetano para Salvador, para continuar os estudos. Foi ali que, depois de quatro anos, estreou como atriz na peça *Boca de Ouro*, de Nelson Rodrigues. No ano seguinte, 1964, o destino incumbiu-se de apresentar uma Maria à outra. O encontro se deu no show NÓS, POR EXEMPLO, idealizado por Caetano, com a participação de outros jovens músicos que tinham a ambição de renovar a música popular brasileira, como Gilberto Gil, Tom Zé, entre outros. O auge do show era quando as vozes contrastantes de Maria da Graça e Maria Bethânia dialogavam, na canção *Sol Negro*, de Caetano.

Pulando de palco em palco e de um texto para outro, Bethânia foi a primeira do bando a dar asas ao estrelato quando Nara Leão a descobriu para substituí-la no musical OPINIÃO, no Rio de Janeiro. Bethânia não imaginava que seu poder interpretativo a levaria ao estrelato como uma das melhores intérpretes da nossa história. OPINIÃO foi o primeiro espetáculo contra a ditadura, e o sucesso da voz de Bethânia cantando *Carcará* foi imediato. Em menos de um ano ela já tinha contrato com a gravadora RCA para seu primeiro disco e rapidamente convidou a amiga baiana para uma participação especial.

Maria da Graça chegou desconhecida e mansa, porém aos poucos foi conquistando o próprio espaço e transformando-se, enquanto também se descobria, em uma cantora singular, na qual ousadia, determinação, criatividade, modernidade e coragem conviveriam em harmonia. Gal Costa começava a nascer.

Em plena ditadura, o pensamento encontrava saída por meio da cultura e, enquanto OPINIÃO acontecia, Glauber Rocha encarava *Deus e o Diabo na Terra do Sol*, Chico Buarque escrevia *Roda Viva* e as sementes que desabrochariam na Tropicália começavam a germinar. Apesar de Bethânia ter despontado como cantora de protesto, este foi um título que se recusou a ter. Parece que silenciosamente entregou o estandarte para Gal, que acabou se transformando em uma das representantes da contracultura (movimento surgido nos Estados Unidos na década de 1960, contestando o caráter social e cultural da época), quando cantava e se comportava extrovertida e irreverentemente.

Durante aqueles anos, muitas coisas aconteceram, entre elas o exílio de Gil e Caetano em Londres. O Tropicalismo se pendurava por um fio e, não fosse o amor de Gal pelos amigos e a força de manter-se fiel ao movimento, talvez essa história tivesse sido diferente. Mas ela abraçou o papel de porta-voz oficial da Tropicália e continuou a infiltrar na veia brasileira, e à sua maneira, aquela nova corrente, musical e comportamental. Gal é dona de uma voz elástica, cristalina, desafiante, intrigante, corajosa e completamente livre.

De outra forma, Bethânia também virou referência. Quando sobe no palco descalça nos conecta ao seu universo. Como ela mesma fala: "Embolo Guimarães Rosa com cordel e é assim que sinto o Brasil. Sou apaixonada pelo Brasil que não é falso, o Brasil real, verdadeiro, profundo e nobre". Bethânia traz no semblante o ar de uma mulher meiga mas que pode, ao mesmo tempo e rapidamente, se transformar em uma amazona guerreira, que sai galopando com lança em punho para proteger suas terras. Ela é uma mistura de maga, rainha, uma força fincada no centro da terra. Quando ela canta, encarna cada canção com tanta verdade que suas palavras viram crença. Uma cantora-atriz que transborda magia além do foco de luz.

E atenção para o refrão: "É preciso estar atento e forte, não temos tempo de temer a morte! Carcará num vai morrer de fome, Carcará, mais coragem do que homem. Carcará pega, mata e come".

Barbatuques

No final dos anos 1980, durante dez anos, morei na rua Carlos Rath, Alto de Pinheiros, em São Paulo. Na outra esquina da mesma rua morava o Fernando Barba. Antes mesmo de nos conhecermos, já tínhamos curiosas semelhanças: primeiro, a de morar por entre árvores em plena capital paulista, algo em si já especial; segundo, a de tocarmos violão; terceiro, a de termos trabalhado com o incrível músico-mestre Stenio Mendes Nogueira que, embora em momentos diferentes, nos levou ao mesmo lugar.

Nesse trabalho, primordialmente de pesquisa, aprendemos que a música também podia vir de um instrumento muito mais próximo a nós do que imaginasse nosso querido violão (ou flauta, no caso do Barba também). Descobrimos que nosso próprio corpo e voz eram impressionantes máquinas de fazer som e que se aprendêssemos os mistérios de suas inúmeras possibilidades criaríamos malabarismos que nos possibilitariam inventar novas paletas musicais.

Não me lembro ao certo de como Barba e eu nos encontramos pela primeira vez, mas quando isso aconteceu ficamos pasmos ao detectar tamanhas coincidências. Principalmente a de termos gerado projetos que abraçavam os ensinamentos do Stenio, e quase ao mesmo tempo! Eu com o lançamento do meu primeiro CD SOLO, recheado de provocações vocais, em 1994, e ele com a estreia do seu grupo Barbatuques, que transformou o corpo em instrumento primordial, no ano seguinte.

Palmas, estalos de dedos, batuques no peito, ritmos marcados com os pés, sons onomatopaicos e muito mais deram vida ao imaginário poético-rítmico-musical de corpos que praticamente dançam enquanto servem de base para uma experiência lúdica, intensa, criativa, energética, tribal. Talvez seja por isso que os Barbatuques sejam tão incríveis, porque nos levam de volta ao que há de mais primário em nós. Afinal, nascemos com o ritmo das batidas do coração. Quer algo mais corporal do que isso?

Fernando Barba e os Barbatuques (formado pelos músicos André Hosoi, Marcelo Pretto, André Venegas, Flávia Maia, Giba Alves, João Simão, Lu Horta, Helô Ribeiro, Mairah Rocha, Maurício Maas, Renato Epstein, Charles Raszl, Lu Cestari e Taís Balieiro) fizeram história por conquistar, no Brasil, um lugar nunca antes transitado. Viraram referência nacional e internacional. Não somente pelo talento e criatividade, mas também por seus grupos de estudos que confirmam o incrível poder da percussão corporal e vocal no processo de aprendizado musical para qualquer idade.

Entre tantos eventos importantes de que participaram, podemos destacar a Copa do Mundo da África do Sul e a ExpoShangai (2010); a Feira do Livro de Frankfurt (2013) e o evento oficial da FIFA em Johanesburgo (para o anúncio da Copa de 2014). Eles também foram presença em seis edições do International Body Music Festival, comandados pelo papa do assunto, o norte-americano Keith Terry. Inclusive foram eles que sediaram a versão brasileira do festival, quando trouxeram para São Paulo o que há de mais contemporâneo e moderno no assunto atualmente.

Em 2014, participaram da trilha de *Rio 2* e a canção *Você Chegou* acabou sendo uma das mais bem-sucedidas do filme. No Natal do mesmo ano foram os responsáveis pela famosa vinheta natalina da Rede Globo, ensinando atores e atrizes a fazer música com os próprios corpos. É fantástico: domingo à noite os Barbatuques invadindo lares brasileiros através da telinha poderosa. Se não sabe quem eles são, é só lembrar de todo o elenco global tirando som de palmas, estalares de dedos e peito! Algo vai ecoar.

Quando me mudei para os Estados Unidos, em 1997, minha conexão com o Barba se perdeu. Ficamos anos sem nos falar. Todavia, depois que voltei a morar no Brasil, no começo deste século, nos reconectamos e fizemos muitas acrobacias juntos.

Hoje em dia, por conta de outras agradáveis surpresas, Barba e eu somos vizinhos novamente. Não tão perto quanto em Alto de Pinheiros, mas novamente rodeados de muitas árvores e trazendo aquela mesma curiosidade, algo que felizmente parece não se apagar. Talvez seja porque tenhamos agora crianças ao nosso redor?

Barbatuques lançou TUM-PÁ, e eu, CANTOS DE CASA, dois discos dedicados ao universo infantil. Mas, para contar outra verdade, Barba começou a namorar a tatuadora (excelente!) Dani Piva, mãe da Vida, que é a melhor amiga de minha filha Sofia. Uau! Então só posso perguntar: qual será nossa próxima sincronicidade?

carlinhos antunes

Carlinhos não nasceu somente para ser músico, apesar de ter seu berço embalado por tios que tocavam piano, violino, viola e cello, e por seu pai, que arriscava um sapateado. Sua paixão pela história veio moldar o músico no qual, inevitavelmente, se transformaria.

Começou a estudar violão ainda muito menino, mas a família teve de interromper seus estudos por amarguras financeiras, e ele, por sorte, pôde contar com sua intuição e seguir os trilhos do autodidatismo. Coisa muito boa a coragem de confiar em si, pois ganhamos um músico sensível, despojado, inovador.

Carlinhos sempre teve essa curiosidade ímpar. Essa vontade de saber além dos olhos. Leu e estudou muito, de tudo. Recém-formado como historiador pela PUC-SP, se aventurou pelas mentes dos alunos. Investigou e percebeu que seu mundo não bastava em si. Despediu-se. Pegou mala, violão e partiu para a Europa. Viveu na Espanha e no Marrocos, mas deixou suas pegadas e acordes por inúmeros países. Aprofundou-se na cultura africana e de lá vieram frutos como os documentários *Barka* e *Sete dias em Burkina*, sobre música e educação na África. Tocou com muitos daqui e de acolá. Para citar alguns: Fátima Guedes, Oswaldinho do Acordeon, Grupo Tarancón, Susana Baca, Paul Winter e, entre outros, esta que vos escreve. Fizemos muitas coisas juntos e nos tornamos grandes amigos. Carlinhos escreveu muitos arranjos, belos, para meu querido violão. Ele sabe das coisas. Tem um humor daqueles pontiagudos, que consegue tirar risadas até das situações mais singulares.

Inventor de várias frases de efeito ("Desde que lancei meu CD, só se fala de outra coisa" ou "O anonimato me subiu a cabeça" *rs*), ele é único. Apesar disso, não ficou apenas com um único violão. Ele toca os mais variados e inusitados instrumentos do mundo: tiple, charango, ronroco, cuatro, kora n'goni, saz, viola caipira, entre outros. Curioso? Visite seu universo e descubra um artista que, para abraçar seus afetos, inventou a Orquestra Mundana, mesclando músicos e músicas dos quatro cantos do mundo. Não te disse? A Terra está aos seus pés.

"Carlinhos, topa fazer mais um arranjo?" Fecho os olhos e delego. Com certeza virá coisa boa.

ceumar

O grande ator Gero Camilo define Ceumar assim: "Sob o céu, sobre o mar. Sobre um jeito muito próprio de cantar. Um tempero no prato requintado da mais fina flor do sal e do melado".

Ceumar nasceu na serra interiorana de Minas Gerais. Avô, pai e mãe músicos. Essas famílias e seus ensejos! Teve sempre um som de piano pela casa, mas foi o violão que a conquistou. Esses violões e seus cortejos!

Ceumar canta e, sim, corre mel em seu canto. Seu pai era conhecido como "a voz de veludo", e ela? Foi acalentada por esse tecido amoroso e aprendeu, desde cedo, a se enfeitar com ele. Costurou os mais lindos vestidos, colheu as mais lindas flores (que coloca tão lindamente segurando as madeixas vastas), e dança ao som da própria música.

Ceumar é emoção pura. Acompanha o pulsar do coração e vai para onde ele aponta. É daquelas artistas que segue a intuição: não se importa se o caminho será de pétalas ou espinhos. Quando a ouvimos cantar, temos certeza de que a Natureza se manifestou. Soa em seu canto o nascer do Sol, o brilhar da Lua, o voar do beija-flor. E ela sorri, entra em seu barco e nos leva rio abaixo.

Deságua voz cristalina e, segundo Mauro Dias, canta sem truques. Envolvido por sua simplicidade e riqueza mineiras, ele a declara uma das maiores cantoras da nossa história. E complementa: "Hoje, Ceumar cumpre agenda internacional e vai se incluindo entre as maiores do mundo". Uau!

Quando se apaixonou pelo produtor holandês Ben Mendes, mudou-se para a Holanda novamente seguindo o coração e aventurando-se pelos canais de Amsterdã. A cidade com certeza ganhou com sua chegança, pois onde Ceumar canta as pessoas se aquecem, e nos (muitos) dias frios holandeses ela deve ter aberto a janela e cantado para aquecer a cidade. Hoje ela está novamente entre nós, e então voltamos a ouvir borboletas em nosso jardim. Sorte!

CHICO BUARQUE DE HOLLANDA

Foi num curso durante as férias de inverno, na academia de Ismael Guiser em Pinheiros, que encontrei pela primeira vez o ex-bailarino do fenomenal Ballet Stagium, Eduardo Fraga. Não demorou muito para que nos sentíssemos amigos de infância. Amizade, inclusive, que perdura calorosa até hoje.

Aos poucos Edu foi se familiarizando com meus dotes musicais e sentiu que deveria me contar sobre a seleção de artistas que aconteceria por Tatiana Cobbett, também ex-bailarina do Stagium – a talentosíssima e criativa Tatiana – para seu musical, MULHERES DE HOLLANDA, que teria direção de Naum Alves de Sousa.

Segui, então, sem muitos detalhes, com meu violão debaixo do braço, mirando a possibilidade de ingressar naquele musical, que era um dos primeiros a acontecer em São Paulo, no início dos anos 1990. Para minha infeliz surpresa, o instrumento harmônico desejado não era violão, mas o piano. Não queria perder a viagem que me fez atravessar São Paulo inteira para chegar à antiga Universidade Livre de Música Tom Jobim, no Bom Retiro, onde os testes aconteceriam, então não titubeei. Olhei a lista das vagas requeridas e como a única outra possibilidade para mim, naquela lista, era cantar, me inscrevi. Eram umas 200 mulheres para a escolha de duas.

Sem muito compromisso, por não ter ainda abraçado em confiança a cantora que existia em mim, fiz tudo o que pediram. Coisas esperadas e inesperadas. Afinal, não tinha nada a perder. Quando cantei *Canção Desnaturada*, Tatiana se arrepiou. Era aquela a voz que ela ouvira em seu sonho e que traria a dramaticidade por ela imaginada. Toda a bancada de jurados questionou sua escolha por ser eu ainda muito jovem. Porém, era a minha voz que ela ouvira e assim fui inserida no elenco do prestigiado musical.

Casa cheia. Na plateia, Chico Buarque, sentado na primeira fileira, com todas as honrarias. Tremer não tremi, mas me emocionei.

Estaria me apresentando para aquele artista que desde menina cantava para mim na vitrola do meu irmão mais velho, o Cito.

Nasci no ano em que foi lançado o LP CHICO BUARQUE DE HOLLANDA, 1966. Cresci, portanto, ouvindo sobre já conhecer os passos dessa estrada, homenageando Januária na janela, guardando a dor de Carolina com seus olhos tristes, dando voltas no coração com a roda-moinho. Pérolas! E eu cresci entre elas.

Catorze anos depois de meu nascimento, com todas as idas e vindas da família, voltei para minha terra natal, São João da Boa Vista (SP). Esse retorno foi imprescindível para que eu descobrisse a arte que ainda vivia adormecida em mim. Ela acordou, e acordou forte. Foi nessa fase que iniciei meus tocares ao violão para acompanhar os chorinhos do meu pai e seu bandolim; foi também quando comecei a ter aulas de balé com a querida Zeza Freitas, e de teatro com seu marido, Ronaldo Marin. Completamente empolgada com esse despertar, fui convidada, aos quinze anos, para assumir o papel de atriz-cantante e diretora da peça MORTE E VIDA SEVERINA, de João Cabral de Melo Neto, na montagem em que minha escola se envolveu para participar de um campeonato regional de teatro. E foi assim, cantando *Funeral de um Lavrador*, de Chico Buarque, que levei para casa meus primeiros prêmios: melhor atriz e melhor direção. Mais tarde *Joana Francesa*, meu momento solo em Mulheres de Hollanda, virou um dos meus principais estandartes.

E não para por aí: quando comecei a fazer minhas incursões no universo de misturar instrumentos de percussão com violão e voz, ele não podia faltar. Sua *A Bela e a Fera* (em parceria com Edu Lobo) foi uma das primeiras canções que me animou a inventar mistura de caxixi, que havia aprendido com o excelente percurssionista e baterista do grupo Pau Brasil, Zé Eduardo Nazário (tocado com a mão direita), violão (com a esquerda) e cantar, tudo ao mesmo tempo.

Chico parece ter nascido com o dom de inspirar. A poesia veio cravada em seu peito e como tiro certeiro crava-se douradamente no nosso. Algo predestinado. Estudado, bem-educado foi, mas nada que fosse ensinado se daria à profundidade com que mergulha nesses tantos universos peculiares. Quando coloca palavras e emoções na voz de uma mulher, escreve como se tivesse nascido com suas dores e lunares saberes. Quando fala de malandragem, apresenta doses de molejo como se tivesse ele mesmo nascido no morro, apesar de toda a erudição. Quando fala de amor, seja ele qual for, dilacera. Chico fala de tudo com tanta propriedade que parece ter engolido o dicionário do primo distante, Aurélio Buarque de Holanda.

Guardando na timidez uma profundidade desconcertante, nos atinge com seus olhos azuis esverdeados. Olhos que trazem mistério de gato selvagem, sedutor. Um silêncio que nos engole vivos. Quando percebemos, estamos completamente seduzidos. Seus poemas inventaram beleza diferente no cancioneiro brasileiro.

Sim, ele é quieto. Algo introspectivo. No entanto, parece que dentro dele corre um oceano revolto que não encontra por onde transbordar suas ondas. Como jogar-se ao mar em meio à calmaria? Por isso tanta emoção escorrida em poesia.

Na verdade, é nessa contenção que seu contentamento se aflora e nas melhores vozes de sua terra faz-se ouvido.

Chico, quando nasceu, soube escolher o que de melhor havia na combinação intelectual dos pais. O pai foi historiador e jornalista, enquanto a mãe, pianista e pintora. E assim ele segue, pintando sua história que abraça momentos políticos, reflexivos, amorosos, futuristas. Além disso, seu avô era pernambucano, seu bisavô mineiro, seu tataravô baiano e seu maestro soberano foi Tom Jobim, o Antonio Brasileiro.

CHICO CéSaR

Mal acabou o show de Virgínia Rosa e eu já corri para conhecer o compositor das melhores canções da noite. À *primeira vista* e *Mama África* invadiram meus ouvidos e se plantaram, férteis. No entanto, demorou bastante para eu conseguir, depois de conhecê-lo naquela noite, assistir a um show seu. Estou falando do paraibano arretado a mel, Chico César.

Foi somente na gravação de seu primeiro CD, AOS VIVOS (1995), que pude comparecer. Foi um trabalho gravado ao vivo mesmo, com toda a plateia participando. Cheguei curiosa e saí em completo estado de euforia. Aquele homem pequenino subiu ao palco e agigantou-se. Abriu sua voz em timbre próprio e cantou aquelas músicas que germinavam pérolas e flores, ora densas, ora singelas. Ao término do show, estava totalmente rendida aos seus talentos.

Naquela época eu tinha uma espécie de clube de música em minha casa, em São Paulo, o Musicasa, ao lado de Rodolfo Galvani, e Chico começou a frequentá-lo. Viramos amigos. Amizade que perdura, leve e doce, através dos tempos. A poesia do Chico se arrisca, risca, belisca. Depois de conhecê-lo é impossível sentir a poesia musical da mesma forma. Nosso pensar se contagia: "Quando anoitreva saárica lambengole as tardes destes dias, algo que não sei me atacama e sertão paraibo..." (*Feixe*).

Seu primeiro livro, *Cantáteis: cantos elegíacos de amozade*, foi jorrado sem correções, servindo-se como um canal por onde barcos imagináveis do amor e da amizade enfrentam estrofes e versos no estilo cordel, navegando pelas saias da mulher amada.

Chico começou sua elegante jornada na pequena cidade de Catolé do Rocha, "Onde o homem bode berra..." (*Beradêro*). Aos dezesseis anos foi estudar jornalismo em João Pessoa e aos 21 mudou-se para São Paulo, lugar onde foi totalmente absorvido (ou absolvido?)

pelo sedutor violão, e em seus braços e cordas passeia com perfeito equilíbrio até hoje.

Contudo, sua inteligência o levou a enriquecer casarões de sua querida Paraíba quando foi convidado, em 2009, para assumir cargos governamentais. Primeiro como presidente da Fundação Cultural de João Pessoa, e dois anos depois como secretário de Cultura do estado da Paraíba, onde atuou até final de 2014. Vestiu-se com borboletas ao redor da garganta e foi trilhar caminhos desafiadores. Mas Chico caminha bem pelos desafios.

No auge de sua carreira, quando o país todo cantava em coro "A minha mãe é mãe solteira..." (*Mama África*), foi trapaceado por seu empresário. Perdeu tudo o que tinha conquistado materialmente com o suor de seus shows. Foi feio. Encontrei-me com ele após a ocasião em alguma cidade além e soube do ocorrido. Na época eu morava nos Estados Unidos e de nada sabia. Fiquei chocada. Mas Chico refez sua história.

Muitos artistas brasileiros já o gravaram e todos o reverenciam. Juntos, eu e ele, fizemos algumas coisas. Compusemos a bela canção *Zoar*, rimos muito, tocamos muito. Perto do Chico me sinto à vontade e seu lar é pleno de cômodos fartos de generosidade, lucidez, perspicácia, sutileza, talento, bom humor, conhecimento, percepção, música (e da melhor!).

Não posso deixar de contar: fui eu quem primeiro gravou *À primeira vista*. Fui feliz da vida contar para ele que na gravação de meu RHYTHMS (1996) tinha incluído uma canção dele. Porém, mesmo ao telefone, pude sentir que ele tremeu com a novidade. Silêncio. "Chico, tudo bem?" "Badi! Eu acabei de assinar contrato de exclusividade com Daniela Mercury!" "Chico, não se preocupe, meu CD não será distribuído no Brasil". De fato nunca foi. Ele se tranquilizou, e a música, na voz de Daniela, catapultou seu nome pelo Brasil, e daqui para o mundo. Obrigada! Seu talento merece ser ouvido sem fronteiras.

egberto gismonti

Quando ele entra no palco, o ar se torna um pouco mais rarefeito, ou seria denso? A respiração fica por segundos presa, ou a soltamos em rodamoinhos? Ele senta-se, ergue os braços e conecta seu cérebro ao piano, ao violão, às flautas e ao nosso espírito.

Egberto Gismonti nasceu na pacata Carmo (interior do estado do Rio de Janeiro), em uma família de músicos. Sua musicalidade é uma mistura de coração com genialidade, emoção com erudição, primitivismo com sutileza. Que nos permeia com uma intelectualidade emocional intensa. Ele não conhece limites técnicos. Toca com uma liberdade que aprofunda.

Para aproximar-se da mãe italiana (que era apaixonada por serestas), começou a transpor seus arranjos pianísticos para o violão, porém o violão convencional com o tempo deixou de ser suficiente para o que trazia na cabeça. O que fazer? Simples: inventou um com dez cordas, pronto. Agora tinha mais notas ao seu alcance e desenvolveu uma técnica própria para dedilhar sua invenção.

Em 1976 embarcou para a Noruega para gravar um novo projeto. Não sabia que encontraria por lá o percussionista Naná Vasconcelos, mas foi com ele que imaginou a história de "dois meninos que atravessam uma floresta densa e úmida, cheia de insetos e animais, mantendo uma distância de 54 metros um do outro".

Em apenas três dias o CD estava pronto. Tinha nascido DANÇA DAS CABEÇAS, um verdadeiro balé pela imaginação criativa desses dois fenômenos da música. Mas o que eles não imaginavam era que estavam criando um dos álbuns mais importantes da música instrumental brasileira. Aquela viagem sonora resultou em vários prêmios mundiais, inclusive em categorias múltiplas como melhor disco de música erudita na Alemanha, música folclórica nos Estados Unidos e pop na Inglaterra. Depois disso, o passaporte internacional para transitarem por qualquer estilo musical que quisessem estava garantido.

Egberto não é uma daquelas pessoas que fica esperando as coisas acontecerem para agir, ou reagir. Quando ele quer, ele executa. Foi assim que recebeu o convite do cacique Sapaim para passar um mês em sua tribo Yawaiapitì no Alto Xingu. Egberto, quando quis entender o universo indígena, pegou sua flauta, sentou-se na floresta e tocou até ser ouvido. Duas semanas depois, o portal foi aberto e ele entrou não somente nas ocas, mas no coração da tribo, e experimentou internamente seus anseios.

Parece que Egberto está sempre à procura de lagos misteriosos para mergulhar; e ele não gosta de lagos rasos. Quando mira um, vê seu reflexo espelhado na superfície, se despe da superficialidade e mergulha em sonho. Vai até o fundo, perfura águas, bolhas, conchas e brinca com as notas como se fossem pirilampos aquáticos. Ele sabe mergulhar em suas paixões. Não é à toa que uma de suas mais belas composições se chama *A fala da paixão*.

Meu irmão Sérgio fez um arranjo para o violão de outra brilhante composição sua, *Palhaço*, que gravei em meu primeiro CD SOLO (1994). Esta gravação me trouxe grandes elogios e por sua causa entrei em vários lares. Ou seja, Egberto vive em mim desde sempre e através deste "personagem mágico" aprendi a mergulhar em lagos e não temer a escuridão. Egberto, muito obrigada por ensinar-me a amar a imensidão.

elza soares

Elza Soares não é uma mulher comum. Ela é um fenômeno de força descomunal. Em seu canto, uma vida. Passou por montanhas-russas, carrosséis e trampolins; provou sabores e dissabores diversos e sempre emergiu como uma fênix.

Filha da pobreza, nasceu em 1930 e foi obrigada pelo pai a se casar quando tinha apenas doze anos. Teve seu primeiro filho aos treze e o segundo, aos quinze. Ambos morreram de inanição. Aos vinte já tinha parido outras cinco vezes e entre uma esfregada de chão de uma casa e outra, corria atrás da vida. É assim que começa a biografia de uma das melhores cantora-intérpretes de nossa história. Uma verdadeira lutadora, em todos os sentidos. Por sorte, trouxe na garganta, além dos gritos sofridos, o poder de cantar. Aliás, foi seu canto que a salvou.

Sua carreira começou quando se aproximava dos 30 anos. Até então, havia comido muito prato cuspido pela sociedade. Quando finalmente encontrou a paixão nos braços do jogador de futebol Garrincha, foi praguejada, pois ele era casado e se divorciou para estar com ela. Algo socialmente proibido e levado até as últimas consequências na época.

Todavia, insistiu, resistiu e cantou. Em sua voz ouvimos as profundezas da alegria e da dor. Seu canto traz forças mágicas e faz malabarismos incríveis, inspirados talvez na própria vida. Em seu canto ouvimos a elasticidade e o suingue de uma mulher que aprendeu a se virar com os bailes da vida. Elza sempre soube tirar dos momentos mais difíceis inspiração e, como o jargão "quem canta seus males espanta", aprendeu a usar a voz como um porto seguro.

Em 2002 foi considerada a cantora do milênio (uau!) pela BBC de Londres. Está bom ou quer mais? Não hesite, porque ela te dá. Exibe com orgulho as plásticas que, na verdade, teve de fazer na alma, durante percalços afora.

Quando Elza canta, uma voz única surge. Nada igual pode ser comparado. Misturou, inclusive, chiclete com banana quando trouxe o som rasgado e gutural de Louis Armstrong para a roda de samba.

E assim foi: conseguiu se profissionalizar como cantora, e o palco passou a ser o lugar de encontro com o próprio reinado, vivendo sem passado ou futuro, apenas o momento presente. Um espaço onde a liberdade de determinar o próprio destino e reinventar a própria história foi possível.

Lançou mais de 50 discos, mas foi em seu 50º que, aos 72 anos, gravou o que, em minha modéstia opinião, é um dos melhores registros musicais de toda a discografia brasileira, DO CÓCCIX ATÉ O PESCOÇO (sob a direção artística e filosófica de José Miguel Wisnik e produção de Alê Siqueira), misturando samba e bossa com música eletrônica e hip hop. Agora pare e pense: quantos artistas poderiam fazer isso? Introduzir-se ao universo da atualidade, renovando-se dessa maneira?

Elza é incansável, vive seu presente e acho que esse é seu maior legado. Ela não envelhece o espírito, ela o renova.

Encontrei-me pessoalmente com ela somente uma vez e pude sentir de perto sua energia intensa e, ao mesmo tempo, terna. Uma diva-mãe-entidade-mestra.

No filme sobre sua vida *My.Name.Is.Now*, da cineasta Elizabete Martins Campos, Elza fala: "A música é uma oração(...) Cantar é remédio bom, alimento para a alma". Há também o depoimento de seu parceiro de sempre, Wilson das Neves, dizendo que ela não é apenas uma cantora, é um instrumento. Pura verdade, sua voz não reproduz apenas um som humano, é um instrumento de sopro metálico e doce; intenso e suave.

Elza: unicidade, integridade, força, sobrenatural. A mulher do fim do mundo.

Família Assad

É chegada a hora. Vou falar da minha família. E que família... Parece que a união de sr. Jorge e dona Angelina (meus pais) aconteceu para gerar músicos. Talvez seus DNAs sejam peculiarmente espiralados em claves musicais.

Primeiro chegou Jorge, carinhosamente chamado de Cito, quando minha mãe tinha apenas dezesseis anos e, apesar de ter nascido com três lesões cerebrais e epilepsia, contradisse a todos quando, com desenvoltura, aprendeu sozinho as artes do pandeiro e desafiou qualquer metrônomo eletrônico na destreza do tempo e na precisão do ritmo, em sua vida de músico caseiramente amador.

Depois vieram Sérgio e Odair, hoje conhecidos como Duo Assad, ou The Assad Brothers, que, ainda muito meninos, começaram a tocar violão e mal sabiam que se transformariam num dos mais sensacionais duos de violões que já pisou na face da Terra. Eles não imaginavam, mas sr. Jorge desconfiava. Em 2015 completaram 50 anos de carreira! Ou seja, durante meio século sentaram-se lado a lado para fazer e sonhar música juntos. Quantas horas para aprender um repertório que foi seguido por praticamente todos os duos do mundo posteriores a eles? É como se uma magia os tivesse enfeitiçado, envoltos pelos ensinamentos musicais e amorosos dos pais.

Certo dia durante uma roda de choro, Jorge, bandolinista amador, se desentendeu com o amigo seresteiro Waldemar. Nessa época minha família morava em Ribeirão Preto, no interior paulista. Ao retornar para casa, nosso pai se deparou com Sérgio segurando um violão, pendurado na barra da saia da mãe, pedindo que ela cantasse aquela música da qual ele aprendera os acordes. "Você quer mesmo aprender a tocar isso?" Diante da resposta afirmativa, sentou o menino no sofá. No mesmo instante Odair, que desejava tudo que o irmão mais velho tivesse, emendou: "Eu também quero!" E assim iniciou a incrível, contagiante e próspera história desses dois talentosos irmãos.

Não levou nem um ano para que o repertório de chorinhos do pai já corresse livremente pelas pontas dos dedos infantis e eles virassem coqueluche na pequena cidade. Pouco tempo depois descobriram que uma competição de violão aconteceria na capital paulista. Sem pestanejar, Jorge os colocou no carro e seguiram viagem. Não demorou muito para descobrirem que, por estarem na mesma faixa etária, concorreriam entre eles. Para que isso não acontecesse, o pai inscreveu-os em categorias diferentes. Resultado: Odair levou para casa o prêmio de melhor violonista erudito e Sérgio, o de melhor violonista popular. Estas seriam as primeiras conquistas de muitas.

Jorge ficou inspirado e quase enlouqueceu quando soube que uma ex-aluna do papa do violão clássico, Andrés Segóvia, estava morando no Rio de Janeiro. Eles tinham que ser seus alunos! Monina Távora, já de cabelos grisalhos, disse, antes de vê-los tocar: "Se seus filhos não forem bons, nenhuma fortuna fará com que sejam meus alunos, mas, ao contrário, se forem, nossas aulas começarão o quanto antes". E assim em menos de um mês estávamos todos, inclusive eu com meus dois anos de vida, morando em Brás de Pina, no Rio de Janeiro, enquanto o fenômeno Assad incandescia duas vezes por semana em Botafogo. E como incendiaram!

Em 1979 foram representar o Brasil pela primeira vez em uma competição internacional. Voaram para hastear bandeira verde e amarela numa das mais importantes competições da época, o Concurso Internacional de Violão de Bratislava. Saíram de lá com o primeiro lugar em mãos e foram catapultados para todas as direções, iniciando um belo processo de reconhecimento mundial.

Se você perguntar a um violonista clássico de qualquer cantinho do planeta se ele os conhece, você ouvirá uma resposta positiva e reverenciosa. Brinco ao dizer que meus irmãos fizeram pelo violão brasileiro o que Pelé fez pelo futebol. Ambos foram precursores e responsáveis por colocar nosso país no topo do globo.

Os irmãos Assad, além de serem virtuoses, compositores, arranjadores e intérpretes excepcionais, quando sentam e começam a tocar cedem lugar aos anjos que nos comovem profundamente. Nunca somos os mesmos depois de ouvi-los.

Nessa época, como disse, eu já existia. Sou a caçula da família, conhecida também como "a rapa do tacho". Quando nasci, minha mãe achou que estivesse entrando no climatério, e descobriu que sua menopausa tinha outro nome: Badi. Não foi à toa que me cuidou com tantas manhas, por ter, enfim, realizado o sonho de segurar uma menina no colo.

Antes mesmo de eu também enveredar pelos inspirados DNAs, Sérgio se casou e anunciou a chegada da filha Clarice, que nasceu quando eu tinha onze anos. Ela foi minha primeira sobrinha, mas a sinto como irmã, pois temos praticamente a mesma diferença de idade que tenho em relação a Odair. Depois chegaram mais sobrinhos: Carolina, Rodrigo, Gustavo, Júlia e Camille. Com o tempo, fomos descobrindo que todos trouxeram a música no sangue. Uns mais, outros menos. Rodrigo, dono de um suingue arretado, acabou se formando em cinema (e dirigiu meu DVD BADI ASSAD - 2010), e Carolina, de voz abençoada preferiu a permacultura. Já Clarice...

Com apenas quatro anos já compunha. Quando fez nove, Sérgio a levou para conhecer Hermeto Pascoal, que ingenuamente disse que um determinado acorde da menina poderia ser diferente. Debruçou-se sobre ela e mostrou. No dia seguinte, a pequena sentou-se ao piano e repetiu o mesmo acorde de antes dizendo ao pai que preferia do seu jeito. Ela já sabia o que queria.

Levou a sério os estudos musicais e acabou mudando-se para os Estados Unidos, onde vive até hoje. E não parou no piano ou na música instrumental brasileira. Ela descobriu também o jazz, a música clássica, a contemporânea e sua voz. E faz com seu talento o que quer. Digo, em nossos shows em família, que ao crescer quero ser como ela!

Clarice não para. No começo, a pedido do pai, compôs para duo de violões, depois, solicitada por outros violonistas, compôs para quartetos, e hoje atende orquestras inteiras. Diariamente ela é contratada para algo diferente. É dela *Scattered*, o primeiro concerto para Scat Singing e Orquestra do mundo! Em 2014 foi encomendada uma fantasia sobre o Hino Nacional Brasileiro pela OSESP, a Orquestra Sinfônica do Estado de São Paulo: *Terra Brasilis*. Sua peça vestiu nosso hino com outras cores e viajou pelo mundo.

Quando Clarice entra no palco sozinha, no entanto, com sua voz e piano, é o suficiente. Suas invenções invertem, investigam, subdividem. Nos fazem acreditar no impossível. Tudo se torna tão naturalmente simples... Ela não se cansa, de verdade: "Clarice, vamos sair para ver o sol!", "Espera aí, tia, deixa eu terminar essa parte aqui!". Quem passa por ela não acredita que aquela moleca seja isso tudo. Mas é. Tiro o chapéu.

Avoé, minha família! Sempre fui, sou e serei grata a tudo que aprendi na vida com vocês. Desde aquele primeiro acorde, passando pelas dinâmicas musicais e de alma, até compartilhar este amor profundo que nos une em vida.

Fernanda Takai

Quando cheguei para encontrar-me com a cantora, escritora e compositora Fernanda Takai, ela já me aguardava. Para iniciar nosso papo, perguntei se o vídeo da canção *Mon amour Meu bem Ma femme*, com participação especial de Zélia Duncan para seu disco NA MEDIDA DO IMPOSSÍVEL, tinha sido feito em seu estúdio caseiro. Ela respondeu positivamente e ficou toda orgulhosa ao ressaltar que sua casa é protegida por um portão construído de dormentes aparentemente muito pesados, mas que, por serem cortados ao meio, são na verdade leves. Assim, por trás da aparência forte, ela se abriga tranquilamente. Comecei a desconfiar que aquela aparência não era somente relativa ao seu lar, mas também ao seu próprio jeito de ser.

Um pouco mais tarde, quando já adentradas no universo de suas produções musicais, filosofamos sobre a possibilidade de as músicas terem cor. No meio, arrisquei uma pergunta: "Com qual cor você vê sua vida?" Ela se suspendeu e respondeu de súbito e intuitivamente: "Vermelho". Então refletimos sobre a resposta e chegamos à conclusão de que o vermelho, além de conectá-la ao Japão, a conecta à força da paz dentro de sua própria guerra. Pronto, minha suspeita tinha se confirmado, Fernanda tinha mesmo uma espécie de escudo, com o qual se protegia tranquilamente.

Ela se aconchega na aparente timidez na qual abriga uma mulher forte, aquela que imprime marca em tudo que faz. Seja nas crônicas que escreve, nas melodias que compõe com ideias imagéticas para que o marido, John Ulhôa, as complete em canção, seja na pele de mãe da Nina ou como vocalista de uma das bandas mais bem-sucedidas do Brasil, Pato Fu. Quando mergulha no universo pop-rock, impõe-se com suavidade e se lança em movimentos conduzidos por mãos inquietas, para que o público sinta-se à vontade e dance.

Fernanda nasceu em Serra do Navio, Amapá. Entrou no barco da vida e, entre inúmeras viagens, foi incluída pela revista *Time* na lista das dez melhores cantoras do mundo. Apesar de, com o Pato Fu, ter lançado o disco vencedor do Grammy na categoria infantil, MÚSICA DE BRINQUEDO, ela não veio para brincar. Mas leva a vida na brincadeira por acreditar ser esse um dos segredos para manter-se equilibrada.

Ela diz que acredita no poder da ação e da reação quando pergunto sobre religião e fé: "Se você é uma pessoa boa, sua vida vai ser mais legal; e quando acontecem coisas ruins, temos que estar preparados. É como se a vida fosse comparada à maternidade: é a coisa mais comum do mundo, mas quando acontece com você, é a mais importante". Então conclui: "Viver é experimentar cotidianamente o extraordinário do mais ordinário".

Fernanda é realizadora, gosta de conectividade e de fazer o bem. MÚSICA DE BRINQUEDO foi adotado por várias UTIs para acalmar os pacientes, por ser um disco de sonoridade confortável. Além de ensinar que não é preciso a aquisição de instrumentos caros para se fazer música, infiltrando, assim, o conceito de desprendimento capitalista no universo infantil.

Filipe Catto

O nome dele podia bem ser Filipe Gato, pois, além de ser muito bonito e atraente, quando entra no palco nos mira com aqueles olhos penetrantes e faz a voz roçar por entre nossos ouvidos e sentimentos. De vez em quando ronrona em nosso cangote, outras vezes mia bem alto.

Filipe Catto (este, sim, seu nome) demonstra que não há fronteiras que não possa ultrapassar. Seus saltos são livres e parece-me que sempre sabe onde pousar.

Dono de uma tessitura rara (contratenor), já foi chamado de "O novo Ney Matogrosso", mas ele é diferente. Sua atitude é outra, sua energia, completamente diferente. Filipe é manso e nos envolve de outra forma. Outro dia brincamos de imaginar quais artistas poderiam ser seus genitores: talvez Elis Regina com Cazuza, ou Johnny Depp com Cassia Eller? Brincadeiras à parte, a verdade é que nenhuma mistura seria suficiente para amalgamar-se nele. Filipe nasceu grande. A impressão que tenho é que em seu peito carrega uma montanha gigante, dessas em que a gente pode se confortar enquanto ele acaricia nossa cabeça, mas ao mesmo tempo, se precisar, fica de pé, põe as garras para fora e vai à luta.

Sua biografia é ainda fresca. Catto nasceu em 1987 em Lajeado, no Sul do país. Desde pequeno cantava ao lado do pai em festas e bailes. Provavelmente foi lá que entrou em contato com tantos estilos anteriores ao seu tempo e talvez, também por isso, os domine tão bem. Filipe entoa qualquer canção que lhe chegue ao coração. Canta como se ele mesmo a tivesse composto. De Maysa e Maria Bethânia até P.J. Harvey e Janis Joplin, passeando com desenvoltura por todos os estilos que lhe atravessem o corpo, desde o rock'n'roll e os boleros até canções de amor profundo e suas próprias composições.

Apesar de ter um estilo muito próprio de compor, e de fazê-lo muito bem, Filipe preza o mundo do intérprete. Está sempre pesquisando novos nomes para passearem em sua garganta. Uma canção na voz dele deve deixar qualquer compositor feliz. Ademais, suas releituras são tão pessoais que às vezes demora para localizarmos. Recentemente o vi cantando *Virgem*, de Marina Lima, e só a percebi quando o refrão chegou. Muito bom mesmo.

Filipe Catto é Coelho no horóscopo chinês. Os que nascem sob este signo vêm com natureza dócil, quieta e astuta, possuindo vontade forte e uma estável autossegurança. Persegue seus objetivos com precisão metódica, mas sempre de uma maneira singular. O Coelho, ou Lebre, como é designado na mitologia chinesa, é o emblema da longevidade e diz-se ter essência derivada da Lua.

Talvez seja por isso que seu canto, quando se propõe a dilacerar, dilacera. Misterioso. Vê-lo interpretar *Olhos nos olhos*, de Chico Buarque, é uma redenção. A gente parece ficar mais afundado na poltrona do teatro.

Outro dia saí para jantar com ele. Me vi com uma pessoa de assuntos largos e profundos. Um jovem na mão de seu tempo. Um representante da nova geração, de se tirar o chapéu. Mais recentemente nos enamoramos para compor algo juntos. Com certeza o que chegar, virá assim, miando... em minha caixa postal.

Hermeto Pascoal

Hermeto Pascoal nasceu em 1936 sob o signo de Câncer. Nasceu diferente, raro. Na pele, nos olhos e nos pelos trouxe a ausência de pigmentação. Os albinos também são conhecidos como "filhos da Lua", por se incomodarem com a luz do Sol. É interessante porque simbolicamente o astro que rege o canceriano é também a Lua.

Então, no dia em que Hermeto nasceu, o brilho lunar estava duplamente forte e o extraordinário aconteceu: o destino daquele menino ficou encantado.

Desde então ele enxerga o mundo com outros olhos. Como um ímã que atrai som: todo e qualquer objeto em suas mãos se transforma em música. Quando criança, os canos de mamona de jerimum viravam pífano, e a água da lagoa se transformava em batidas ritmadas. As sobras de material do avô ferreiro eram penduradas no varal para fazer música. E assim foi por toda sua vida. O brilho da Lua através dos seus toques.

Quem se lembra quando ele entrou com uma porca no palco e dela tirou sons que ritmicamente completavam a composição? Ou quando fez um trabalho maravilhoso chamado *O Som da Aura*, em que harmonizou locuções de jogos de futebol transformando-as em melodia? Não seria isso tudo mesmo magia?

O primeiro instrumento tradicional que Hermeto tocou foi o acordeão de oito baixos de seu pai. Depois vieram pandeiros, pianos, flautas, violões e tudo mais que seu toque de Midas encostasse.

Certa vez ele contou que ainda menino ficou amigo do porteiro do pequeno museu de sua cidade. O senhor carinhosamente o deixava entrar durante a madrugada para que ele se divertisse com o piano lá dentro. Anos mais tarde, viu uma apresentação (não me recordo de quem) na qual o nome dos acordes foram ditos, e ele na plateia pensou: "Ah! Então é assim que aquelas notas juntas se chamam?". Ele já tinha nascido sabendo.

Hermeto é reconhecido em todo o planeta como um dos maiores músicos que a humanidade já testemunhou. Não é brincadeira. Eu mesma já presenciei sua fama pelo mundo afora. Aqui no Brasil ele formou grupos instrumentais imprescindíveis para nossa história, como o Sambrasa Trio e o Quarteto Novo. Hermeto é um mestre nato, uma espécie de faculdade ambulante. Os músicos que tiveram o privilégio de tocar com ele saíram PHDs em música livre e hermetiana. Todos o chamam carinhosa e respeitosamente de "Campeão".

A primeira vez que o encontrei, eu tinha catorze anos. Aconteceu em minha cidade natal: São João da Boa Vista. Nessa época, Hermeto já conhecia meus irmãos, Sérgio e Odair, e já se respeitavam musicalmente. Quando me aproximei dele ao final do concerto e me apresentei, ele foi andando em minha direção e, enquanto eu andava de ré, ele ia dizendo "Não, não!", e começou a tocar sua música *Bebê*, que meus irmãos gravaram. Ficou ziguezagueando pelo teatro tocando só para mim. Experiência única!

Outra vez, fui com meus irmãos a uma festa junina que ele promoveu em seu sítio no subúrbio do Rio de Janeiro, com o objetivo de queimar um piano velho na fogueira. Então, no auge da festa, acenderam o fogo e o piano gemeu. Aos poucos, as cordas se arrebentavam e produziam notas incríveis. Noite inesquecível.

Hermeto é assim, nada hermético. Muito pelo contrário, ele veio para subverter. Sua música é livre e em seu alfabeto particular não existe a palavra limite. Então, voe, menino! Voe até a Lua, que o mundo já é seu.

Inezita Barroso

Inezita Barroso nasceu em 1925 e é com certeza uma das mulheres mais impressionantes que o Brasil já viu florescer. Foi com ela e seu estandarte caipira (durante os 35 anos em que apresentou o programa viola, minha viola, na TV Cultura) que os valores da música de raiz se mantiveram preservados, já que o sertanejo e suas ramificações invadiram rádios e rodeios brasileiros com temas romantizados e guitarras elétricas. Inezita lutou para preservar a música simples, feita pelas autênticas duplas de violeiros, cantores e compositores do amor puro, da prosa interiorana imbuída de singelezas.

No entanto, ela é tão mais do que isto – e não que isso seja pouco! Teve uma carreira belíssima com mais de 50 anos dedicados a diferentes universos que nela se complementaram: gravou mais de 80 discos, atuou em nove filmes de sucesso, foi apresentadora de programas de rádio e televisão, deu aulas de música e de folclore, foi dona de restaurante e, assim como Mário de Andrade, desbravou regiões do Brasil em cima de um jipe, constituindo um dos mais completos acervos da música brasileira existentes.

Embora tenha nascido em berço de ouro, recusou-se a seguir os padrões previstos para uma dama da época. Quando menina preferia estar no meio dos peões e de suas violas caipiras do que ficar silenciosa nos concertos promovidos pelos casarões das fazendas que frequentava. Optava por liderar a turma de moleques da rua a se comportar como as meninas, como se previa. Imagine uma menina subir em árvores, caçar passarinhos com estilingue e jogar futebol? Pois foi esse espírito livre que permeou toda a vida de Inezita. Ela não foi "domada" pela sociedade.

Quando tinha sete anos, começou a aprender violão e viola e, aos nove, seu pai a levou para se apresentar no programa CASCATINHA DO GENARO. A menina parece ter gostado daquilo, pois nunca mais parou.

Em 2012, a revista *Rolling Stone* soltou uma lista com os 70 maiores mestres do violão da história brasileira. Entre eles, somente três mulheres: Inezita Barroso, a eterna Rosinha de Valença e esta que vos escreve. Na verdade, foi nessa época que me interessei por ela, pois até então eu só conhecia seu lado caipira e, portanto, nem imaginava que tinha sido uma das primeiras mulheres a trazer o violão para o palco. Orgulho!

Aos 22 anos se casou e teve a única filha, Marta; aos 26 estreou profissionalmente como atriz no filme *Ângela*, interpretando a cantora Vanju. Porém, a música não a deixaria distante. Naquele mesmo período, foi convidada pelo grande autor de frevos, mestre Capiba, a se apresentar em Pernambuco. Como resultado da viagem, teve seu primeiro contrato musical assinado e sua carreira subiu como um foguete.

Essa mulher gravou todos os estilos que a interessou. Desde músicas caipiras (de autores variados), sambas de Noel Rosa, canções de seu primo Ary Barroso, outras ambientadas por Villa-Lobos, músicas afro-brasileiras, blues. Seria Inezita a precursora do ecletismo? Acho que ela foi também uma de nossas primeiras feministas, por ter se destacado dentro de uma educação machista e ter assumido a filha sozinha, depois de seu desquite. E, vamos combinar? Essas proezas eram um tanto inconcebíveis para sua época, e ela as enfrentou sempre com sorrisos firmes.

Foi na voz dela que algumas canções se eternizaram, como *Ronda*, de Paulo Vanzolini, a divertida *Marvada Pinga*, de Ochelsis Laureano, e *Lampião de Gás*, de Zica Bergami. Aliás, trago memórias de minha infância escutando o caminhão passar com a voz dela em "lampião de gás, lampião de gás".

Em 1985, Inezita virou enredo da Escola de Samba Oba-Oba, de Barueri, em São Paulo. Na mesma época, lançou o LP INEZITA BARROSO: A INCOMPARÁVEL, cujo repertório foi escolhido por seus fãs. Outra irreverência! E esta acabei copiando sem saber, pois também deixei que a plateia da Casa de Francisca, em São Paulo, escolhesse as catorze músicas (de minha autoria) que entrariam em meu AMOR E OUTRAS MANIAS CRÔNICAS, lançado em 2013.

O Brasil deve se orgulhar de ter em sua biografia a passagem desta mulher-meteoro, diva, guerreira, artista nata, doutorada da vida.

Com certeza ela deve estar agora sentada aos pés de todos os santos com sua viola a cantar. Em março de 2015, aos 90 anos de idade, faleceu. E aqui ficamos. "Quanta saudade você me traz!"

Lenine

O título N.O.W.H.E.R.E pode significar duas coisas em inglês: *Now-Here* (Agora-Aqui) ou *Nowhere* (Lugar Nenhum). Quando gravei o disco que acabou sendo batizado com esse nome no final do século passado (uau!), estava em plena jornada espiritual, concentrada em minha sanidade e na recuperação dos movimentos da minha mão, na ocasião em que fui diagnosticada com distonia focal nos dedos anular e mínimo esquerdos. Portanto, não sabia se o resultado seria o do agora ou o do incerto. Mas isso, naquele momento, pouco me importava, pois eu aprendia exatamente a viver o agora em sua plenitude. Este foi o único disco de minha vida em que praticamente não encostei no violão e dediquei-me primordialmente ao canto. Nessa aventura, tive a felicidade de conviver com músicos incríveis que cederam seus talentos para engrandecer o projeto. Entre eles, Lenine.

Pegamos um avião eu, Evan Beigel (engenheiro de som), Jeff Young (meu companheiro por quatro anos e que agora tinha virado ex, mas ainda produtor e parceiro musical) e Ariel (namorada do Jeff, que estava grávida – dele – e que tinha se mudado para nossa casa!), saindo de Sarasota (Flórida) para o Rio de Janeiro – este capítulo da minha vida, os quatro anos em que convivi com Jeff, foi realmente muito intenso, de conteúdos diversos e inimagináveis. Talvez um dia eu escreva sobre isso.

Entramos pela manhã no estúdio carioca e na sequência chegaram as fenomenais flautas mágicas de Carlos Malta e as percussões geniais do mago Marcos Suzano. Gravaram maravilhosamente e deixaram suas marcas para dar sustento à minha voz. Antes de partirem, Lenine chegou. Foi uma festa, pois todos éramos amigos. De minha parte, porém, a alegria era bem mais ampla. A última vez em que eu havia estado com ele tinha sido logo antes de minha mudança para os Estados Unidos, em 1996. Recordações de quando ele me recebeu em sua casa na Urca e de quando trocamos ideias musicais e histórias de vida começavam a estalar em minha mente. Tanto havia acontecido desde então. Naquele dia cantamos juntos minha canção *Entrelaçar*: "Leva-me pelos caminhos no sótão da sua memória, na dispensa dos seus apetites, na ampulheta das suas horas". Me emocionei. Era muito profundo o que eu sentia. Antes de me mudar para os Estados Unidos, eu era uma violonista exímia e ali, naquele momento, eu mal conseguia tocar dois acordes. Porém, abraçava minha porção cantora com mais propriedade. E assim, aos poucos, me sentia um pouco parecida com ele. Era como se eu estivesse encontrando a ponta de um círculo perdido.

Quando penso em Lenine, penso numa pessoa que deve ter se exposto a toda audição possível, de seus pulsares e de muitos outros, para extrair das veias da terra seus ritmos. Ritmos que ele, mais do que ninguém, deixa transcorrer quando toca violão e cria um estilo tão próprio que virou escola.

Lenine trouxe à sua geração uma brasilidade contemporânea, renacionalizando o Nordeste, dialogando com o mundo, dedilhando o instrumento mais brasileiro que existe e semeando algo novo na coluna vertebral da música popular, com batuque tão intenso que dispensa percussões. Na verdade, as percussões vêm mais para completar seu som do que para instigá-lo ou defini-lo.

Embora traga em sua bagagem inúmeras viagens sonoras, não cursou música como faculdade, mas Engenharia Química. Sei, pode parecer estranho, mas vale ressaltar que "esta é uma área de estudos voltada ao desenvolvimento de processos industriais que empregam transformações físico-químicas. O engenheiro químico cria técnicas de extração da matéria-prima e a transforma em produtos". Então, gosto de imaginar que Lenine usou desses aprendizados para arregimentar toda sua matéria-prima sonora e transformá-la em canções. Seria certo dizer que ele é o nosso maior engenheiro de Química Musical. Voilà!

Lenine teve uma vida pré-sucesso nacional que o deixou no anonimato (injusto) por muito tempo. Seu primeiro LP, BAQUE SOLTO (1983), com o músico Lula Queiroga, nasceu e passou pela vida despercebido. Somente dez anos depois, ao lado do carioca percussionista (e digno de sua própria história) Marcos Suzano, é que um projeto seu foi ouvido e se fez conhecido, o CD OLHO DE PEIXE caminhou por entre lares brasileiros e internacionais. Uma das melhores gravações da história da MPB, sem sombra de dúvida. OLHO DE PEIXE mira em todas as direções e traz em seu âmago a essência brasileira de ritmos tocados de uma forma nova, apresentando novos sabores, abusando da criatividade. Depois vieram outros projetos, todos incrivelmente bem produzidos e vencedores de prêmios de melhor canção, melhor cantor, melhor disco. Todos têm de ser ouvidos, reouvidos, dançados, vividos. Lenine deixa sua marca em tudo que faz, e como faz. Sou fã declarada. Ele influenciou a mim e a toda uma geração de músicos aqui e acolá.

Escreveu obras para a companhia de dança mineira Grupo Corpo; compôs canções que viraram sucesso em novelas, filmes, teatros e comerciais; produziu vários artistas, como Maria Rita e Chico César; compôs sambas para blocos carnavalescos cariocas (como o Suvaco de Cristo); escreveu para programas humorísticos da TV Globo e teve muitas de suas músicas gravadas pela nata brasileira. Ele também tem um faro impressionante para atrair parceiros musicais (e não é sempre que isso acontece!). Com certeza ouve sua intuição, que aponta seu Norte, nosso leão. Quando o ouvimos, não sabemos quem nasceu primeiro, se a letra, a canção ou a levada ao violão. Gravei duas de suas músicas em meu WONDERLAND (2006): *Acredite ou não* (em parceria com Bráulio Tavares) e *Distantes demais* (com Dudu Falcão). Pérolas!

Lenine gravou mais de dez CDs, em mais ou menos 30 anos de carreira. A princípio não parecem muitos, mas são projetos tão bem-sucedidos que precisaram de tempo para serem diluídos. Ele viaja o mundo e o conquista. A Europa se ajoelha a seus pés, em especial a França, onde é sucesso total. Lenine, se você não sabe, é pai do incrível João Cavalcanti, cantor do grupo Casuarina. João herdou do pai tudo o que ele tem de melhor. Haja talento.

Quando Lenine sai por aí, sai com paz no coração, e quando a Lua o chama, ele sai para a rua e canta: "Vai ver se estou lá na esquina, devo estar". O mundo está em seu quarteirão.

LINIKeR

Liniker não nasceu com uma voz apenas, nasceu também com um corpo e uma atitude. Um jeito de ser que inspirou o nome de sua banda, Os Caramelows: bala deliciosamente adocicada, sorvida aos poucos devido à sólida consistência. No caso de Liniker, um ser adocicado que deve ser sorvido aos poucos devido à substancial consistência. Em sua voz, algo grave ao mesmo tempo que leve. Em seu corpo, algo masculino ao mesmo tempo que feminino, levando à tona questões sobre a origem dos sexos e trazendo consciência sobre a transgressão dos gêneros.

Pode ser que esse assunto seja antigo ou novo para você, mas a verdade é que sempre existiu, embora ignorado por crenças diversas. Transgênero é o indivíduo que se identifica com um gênero diferente daquele que corresponde ao seu sexo no momento do nascimento. Na verdade, a parte cerebral que define o gênero do rebento não é formada ao mesmo tempo em que a genitália se configura. Portanto, são independentes. Na maioria das vezes, esses dois crescimentos coincidem, mas em muitas não. Liniker nasceu com alma de mulher enclausurada no corpo de um homem. Conviveu com esse incômodo durante praticamente seus primeiros vinte anos de vida, tendo a homossexualidade como única possibilidade. Mas, mesmo assim, o desconforto ainda existia. Foi somente quando o teatro a agarrou pelos pés, puxando-a por suas tramas inquietantes, que descobriu a possibilidade avassaladora de assumir quem veio para ser. Sua companheira de quarto na Escola Livre de Teatro em Santo André (São Paulo) era a libertária Linn da Quebrada, que se autodefine: "Sou uma bicha transviada e me dou o direito de ter vida!".

Liniker passou um tempo sem delimitar seu gênero, aceitando-se como homem e mulher. Nessa fase, misturava batom com bigode, brinco com barba. Porém, conforme o tempo foi passando, assumiu a essência feminina de vez e, com sua arte e postura de vida, levantou uma bandeira que mistura o vermelho da luta com o branco da paz, quando fala de seus direitos mansamente e impõe respeito sem intimidar. Em nosso encontro na ocasião de sua participação na comemoração dos meus 25 anos de carreira, no Sesc Vila Mariana, em São Paulo (2017), logo me antecipei pedindo desculpas caso em nossa conversa eu me dirigisse a ela no masculino, já que Liniker não escolheu, para se afirmar, transformar seu corpo. Ela disse que assim como ela está em processo de desconstrução, nós – a sociedade – também estamos.

Trazendo a atitude de quem alcançou alforria interna no que diz respeito às amarras preconceituosas do mundo, quando assumiu a transexualidade, Liniker misturou os sexos e desbravou novas frentes, nas quais fez a cor da pele não ser uma barreira e o passado, mesmo com as mordidas indecentes de uma infância pobre, não impedir a invenção de um lugar ao Sol.

Liniker é ser humano. Lança-se na música por trazê-la no sangue. Quando criança ouvia os sambas de raiz que os tios compunham e saía com Ângela, sua mãe e professora de dança, pelas aulas de samba-rock, nas quais arriscava passos por entre os adultos. Ao lado da mãe conviveu naturalmente com a modernidade do empoderamento feminino, uma vez que foi criada junto do irmão e longe do pai. Uma mãe que ensinou sobre o amor incondicional lhe dando estrutura e apoiando suas aventuras humanas e artísticas.

De gosto próprio, Liniker traz nas veias (p)referências nacionais, como a Banda Black Rio, o Clube do Balanço e Paula Lima, e internacionais, como Nina Simone e Etta James. Ou seja, criou um caldeirão interessante de música preta e soul. Diz também que a arte transforma, uma verdadeira medicina da vida. Suas letras são sobre o que sente, sobre suas relações pessoais e como os sentimentos a atravessam, num desejo profundo de que as pessoas possam identificar-se, como ela, ao escutar música negra. Essa força que pulsa, que não tem como conter.

Sua produção musical é ainda modesta, porém, quando lançou o EP CRU, com os vídeos de *Zero*, *Caeu* e *Louise du Brésil*, em menos de duas semanas já eram milhões de fãs, e conforme o tempo passa suas sementes continuam a explodir como fogos de artifício no Réveillon carioca. Liniker no palco é força pura, com domínio absurdo e carisma ímpar. O turbante em forma de coroação presta homenagem aos seus antepassados e constrói embarcações que levam suas músicas e crenças pelos rios brasileiros e de além-mar.

LUHLI & LUCINA

Falar de Luhli & Lucina é discursar sobre, além de melodias e acordes, paz e amor. Elas não cantaram ou compuseram canções que se tornaram clássicos em gargantas alheias, elas viveram aquelas melodias na carne.

Luhli e Lucina são viscerais. Viveram sem pudores e sem hipocrisia. Usufruíram intensamente dos conceitos da era hippie, inclusive quando viveram um triângulo amoroso com o fotógrafo Luiz Fernando, em comunidade alternativa, com cabelos rebeldes, pés no chão, violões, tambores e filhos soltos.

Paralelamente à bossa nova, que reinava na época, elas foram das primeiras artistas nacionais a lançar um trabalho independente e se aventurar por essa via pouco conhecida. Abriram caminhos como trilheiros que olham para a montanha, pensam "ali tem cachoeira" e seguem com foice em punho, abrindo passagem.

Quando subiam ao palco, não cantavam suas músicas e melodias ou tocavam seus instrumentos apenas. Levavam uma nação inteira de orixás e suas forças. Mudavam o repertório de acordo com a energia que sentiam da plateia. A umbanda, mergulhada nelas, brotava em ritmos densos e coerentes com suas crenças e criações artísticas.

Compuseram juntas *Suba na baleia*, que diz: "suba na baleia e descobrirás o mar". E assim nadaram em dorso gigante, como a menina Pai no filme *Encantadora de Baleias*, de Niki Caro, que mostra a força feminina rompendo barreiras e tradições na Nova Zelândia. Uma menina de onze anos que contrariou todo o legado maori, que tinha por tradição esperar o primeiro descendente homem para assumir o cargo de chefe da tribo e líder espiritual. Como esse irmão nunca nasceu, a menina teve que provar sua força e moldar a própria história. Luhli e Lucina também foram assim no que diz respeito ao rompimento de costumes, só que por meio de suas crenças convertidas em canções.

Certa vez as convidei para tocar em um clube de música que tive em minha casa, o Musicasa, quando morei em São Paulo, em 1990. A casa era toda construída com paredes de vidro e, do lado de fora, o jardim invadia os cômodos. Elas vieram, abri um caderno de visitas. Luhli escreveu um poema como um jorro de luz, levando o mesmo tempo que sua caneta para percorrer a página em branco. Era profundo e ela tinha, com suas antenas marcianas, captado tudo o que aquela casa era e representava.

Outra feita, tive aulas de percussão com Lucina, que me ensinou que todos os ritmos do mundo são fundamentados em sete ritmos africanos básicos. E assim conduziu-me por um universo de descobertas que não mexiam apenas com minhas mãos batendo no tambor, mas com minha ancestralidade.

Felizmente, Rafal Saar fez o documentário *Yorimatã* (2014) para podermos conhecer mais essas duas mulheres que viveram na mão e na contramão de seu tempo. Alguns poucos artistas tiveram o privilégio de tê-las por perto, como é o caso de Tetê e Alzira Espíndola, As Frenéticas, Joyce, Rolando Boldrin, Wanderléa. No entanto, foi Ney Matogrosso o único a iniciar-se no canto por conta delas. *O Vira*, música que o consagrou quando ainda liderava o grupo Secos & Molhados, é da autoria de Luhli.

Seus tambores eram mágicos e, inclusive, feitos pelas mãos delas mesmas. Ainda tenho os meus, que trago como relíquias, aqui em casa. Minha filha vira e mexe os pega e sai tocando, encantada.

Hoje elas não se apresentam mais juntas, mas suas almas sempre estarão entrecruzadas, em paz e amor.

marina Lima

Marina Lima, adocicada como a fruta de mesmo sobrenome, é meiga, mas, assim como a da Pérsia, também cítrica. Sua personalidade contida sempre escondeu um vulcão infinito de ideias.Quando Marina expõe sua lava, a derrama quente, viva, poderosa. Um jeito Marina Lima de ser.

Embora tenha nascido no Rio de Janeiro, passou a infância nos Estados Unidos. Sofreu um bocado, tanto que o pai para acalentá-la a presenteou com um violão. E que presente. Ela domou o instrumento de tal forma que passou a ser seu companheiro inseparável.

Enquanto ainda morava por lá, não era nada próxima ao irmão Antônio Cícero, mas como essas coisas de destino não desacontecem, em um dia aparentemente sem nada especial encontrou um de seus escritos e começou a cantarolá-lo. Ele perguntou do que ela precisaria para aquilo se transformar em letra de música. Ela explicou e ele entendeu. Simples assim. Suas canções são pérolas da nossa MPB. Aquele dia lhes trouxe comunhão. Algo que poucos irmãos e parceiros musicais atingem. Muitos da nata brasileira gravaram suas canções: Gal Costa, Zizi Possi, Caetano Veloso, Maria Bethânia, Lulu Santos...

São mais ou menos dezenove CDs. Cada um trazendo uma proposta especial e relativamente condizente com o que vivia na época. A arte dela, então, trespassa o reflexo de suas indagações e descobertas pessoais.

No horóscopo chinês, ela é Carneiro: "Quem nasce sob esta influência é íntegro, sincero e se emociona com facilidade. Tem tendência a ser uma pessoa gentil e compassiva. Apesar de todas as qualidades, não suportam disciplinas ou críticas e acham muito difícil trabalhar sob pressão".

Não a conheço pessoalmente, mas depois de ler *Maneira de ser*, escrito por ela mesma, acho que sim. Devorei o livro em dois dias com deleite. Seu jeito de escrever é leve ao mesmo tempo em que denso. Confirmei: ela sabe das (suas) coisas.

Marina, como qualquer mortal, viveu momentos de altos e baixos, mas, diferente de muitos, os abraçou, sempre buscando entender os porquês dos sentimentos. Em um desses percalços, daqueles que perdemos a base, colocou escafandro e não temeu o mergulho, foi fundo. Em seu retorno à superfície, trouxe um pouco do sal do mar, que acabou transformando o som de sua voz. Muitos disseram que isso poderia ser um problema, mas não para ela. Afinal, a gente muda. Nossa pele muda, nossa cabeça muda, mudam as formas, as fontes, mas a essência pode ser, e no caso dela sempre foi, genuína e verdadeira. Vive a vida em busca de sua essência, sempre e seja ela qual for, doce ou salgada, com momentos duradouros ou "fullgases".

Lembro-me muito bem de quando posou para a *Playboy*. Eu mesma corri na banca para comprar. Não porque me interesse sexualmente por corpos femininos, mas por sempre tê-la achado bonita; tive curiosidade. Seu corpo descoberto revelava uma mulher de curvas onduladas como o mar, pele clara como a espuma, povoada de misteriosos recantos, como sua personalidade.

Marina revolucionou, tornando-se impossível imaginar a esquina entre a música popular e o rock sem sua presença. Provou, provocou, praticou. Ela e sua guitarra, seus arranjos modernos e os eletrônicos, na medida certa. Misturou teatro com música e sempre soube usar e equilibrar o que usou. Em 2015, propôs um trabalho solo, depois de todos esses anos. Ela não cansa mesmo de se descobrir. Sempre nua, em sua verdade.

marisa monte

Quem vem atrás das maravilhas cariocas, de frente para o mar, abençoada por Deus e pela Natureza? Marisa Monte. Ela vem...

Quando criança, sonhava em ser cantora de ópera, mas subiu ao palco pela primeira vez em um musical de rock dirigido por Miguel Falabella, *Rocky Horror Show*. Ela já gostava de misturas. Quando completou vinte anos, embarcou para a Itália em busca de seus sonhos líricos. Mas foi num bar, e não em uma sala de concerto, que foi descoberta pelo pescador de pérolas Nelson Motta. E desde então revelou-se joia rara. Ao lado dele pôde explorar seus inúmeros gostos, misturando música clássica com jazz, rock, samba. E pôde mostrar ao mundo que era possível ser dona de uma audição eclética e de uma mente elástica. Marisa Monte encontrou terreno fértil para se inventar.

No primeiro CD, MM (1989), mostra essa destreza quando canta magnificamente bem universos musicais diversos através da própria emoção. Ela é a primeira de sua geração a fazer essa provocação, colocando fogueira onde, durante muito tempo, havia somente o vento. Nesse disco ela cantou *Speak Low*, reverenciando Billie Holiday, introduziu o grupo Titãs fora do círculo do rock gravando *Comida*, fez crianças conhecerem *Xote das Meninas*, de Luiz Gonzaga, e conseguiu seu primeiro grande sucesso, *Bem que se quis*. Nelson Motta foi quem fez a versão dessa canção originalmente italiana (de Pino Danielle) para o português. Não haveria mesmo caminhos para voltar, pois Marisa veio para ficar.

Nelson dirigiu, ao lado de Walter Salles Jr., o primeiro show dela, para a então TV Manchete, antes mesmo de MM ser lançado. Lembro-me bem daquelas madeixas encobrindo meio rosto e daquela boca encarnada por onde saía aquela voz! Walter já tinha estreado *Central do Brasil* e encontrou outro lugar para pousar o olhar. Eles souberam ver através de bolas de cristal. Viram e apostaram que aquela mulher se transformaria em muitas, que revolucionaria a música no Brasil, que se tornaria uma das melhores cantoras que nossa terra produziu, uma compositora de sucessos, uma pesquisadora da nossa história, uma produtora impecável, uma rainha.

Souberam ver que ela seria responsável por marcar o momento em que jovens brasileiros voltariam a ouvir Candeia, Velha Guarda da Portela, Paulinho da Viola. Músicas que tinham sido perdidas. Imagine cantar *Rosa* (Pixinguinha) para a multidão? Lembro-me de um amigo músico norte-americano me perguntando se eu conhecia a dona daquela voz-instrumento. Colocou para eu ouvir e era ela. Eu disse que sim, com muito orgulho.

Marisa Monte não é, em minha opinião, importante somente pelos maravilhosos CDs que gravou e produziu, pelos prêmios que ganhou (entre eles Grammy, MTV, APCA) ou pelos vídeos laureados, músicas em primeiro lugar, milhões de discos vendidos. Marisa o é, isso sim, porque nasceu com uma voz abençoada por Deus e canta como um pássaro brilhante. Mas ela estudou, se dedicou, refinou suas ferramentas. Ela soube conduzir a carreira com dignidade, sem se expor, sem nunca contradizer a alma. Honrou seus pensamentos. Certa vez a ouvi dizer que o que fazia uma cantora ter uma carreira bem-sucedida era a forma como ela pensava. Então nos rendamos ao seu pensamento!

Estivemos juntas em poucas, mas inesquecíveis, ocasiões. A primeira foi no Heineken Concert, no Rio de Janeiro, em 1993: eu sozinha com meu violão e voz, ela ao lado de Rafael Rabello. Nos conhecemos no camarim e respeitosamente nos abraçamos. A segunda vez, muitos anos depois, foi no Pori Jazz Festival (Finlândia), enquanto o Sol da meia-noite girava em nossas cabeças. Nunca mais nos encontramos. Por ser reclusa, como eu, não houve muitas chances de nos cruzarmos por aí.

Ficam aqui, então, minhas palavras de admiração a esta mulher que representa uma fase belíssima de nossa música. Por conta dela tivemos caminho livre para também sermos ecléticas, sem isso ser um problema. Obrigada, Marisa!

marlui miranda

A primeira vez que vi Marlui Miranda subir ao palco a senti como uma mescla de maga e imperatriz. Não estava sozinha, havia com ela uma banda e o incrível grupo coral O Beijo, liderado por Tiago Pinheiro. De antemão, vale contar um pouco sobre o grupo: O Beijo foi criado em 1987 como um dos grupos do Coralusp e virou referência no universo vocal paulistano da época. Seus arranjos eram criativos, inovadores, divertidos; ora leves, ora densos. Com todos esses atributos, serviram à perfeição para a elasticidade emocional necessária para que IHU – TODOS OS SONS (CD de Marlui) subisse ao palco com investida comovência.

Marlui Miranda nasceu em Fortaleza. Sua mãe não estudou música, mas tinha ouvidos harmoniosos, pois foi ela quem afinou o primeiro violão que entrou na casa. A pequena sonhadora Marlui tinha recebido o instrumento de presente antes mesmo de completar cinco anos. Logo depois, a família se mudou para Brasília onde o pai, engenheiro, trabalharia na construção da nova capital.

Apesar de nunca ter deixado a música, Marlui escolheu Arquitetura para estudar. Mas aquele mesmo violão nunca deixou de acompanhá-la, e acabou virando sua melhor companhia. Através dele descobriu os prazeres da música instrumental e os da composição. Ainda dona de uma voz tímida, aventurou-se a cantar suas canções e acabou levando os primeiros lugares como intérprete e compositora no Festival Estudantil da Universidade de Brasília. Seu destino já arquitetava outras edificações.

Não teve jeito, com a música seu coração batia mais forte. Saiu da Arquitetura e foi imaginar outros planos, obviamente que envolvessem música. Já no Rio de Janeiro, conheceu Egberto Gismonti e foi convidada para excursionar pelo país com ele e seu grupo Academia de Danças. Marlui, então, saiu desbravando o país pela primeira vez e com o grupo cantava, tocava violão (que estudou com mestres como Turíbio Santos e Jodacil Damasceno), cavaquinho e percussão.

Sua voz é grave, profunda, larga. Como se fosse um lago desses misteriosos que abraçam sereias e dragões. Sua figura é miscigenada, parecendo uma índia da capital. Com os cabelos sempre soltos, que moldurem o rosto mítico, Marlui traz aura enigmática.

Em 1978, embarcou numa viagem que mudaria seu destino. Direção: Rondônia. Foi e voltou. No ano seguinte, lançou o primeiro LP, OLHO D'ÁGUA, e foi ainda sob a influência desses olhos molhados que sentiu o início de um chamado, que vinha dos povos daquele lugar. Uma profunda necessidade de se aprofundar por aquelas raízes a levou de volta a Rondônia, três anos mais tarde. Foi então que abraçou uma nova aventura. Ela seria a porta-voz daquele povo. Não pela política, mas com a música. Marlui os traduziu como ninguém.

Sua pesquisa documentou os hábitos indígenas, seus amores, medos, músicas. Ela conseguiu estabelecer uma relação de objetividade com aquele meio, aprendendo na prática a se relacionar com os fenômenos locais e, inevitavelmente, se sentindo responsável por preservar seu repertório musical. Vieram os trabalhos REVIVÊNCIA, PAITER MEREWÁ, IHU – TODOS OS SONS e 2 IHU KEWERE.

Volto àquela minha primeira impressão de Marlui no palco paulista, tendo O Beijo ao seu lado. Ela não pegou a música dos índios e a jogou no mundo. Ela a releu e a vestiu especialmente para que nossos ouvidos pudessem compreendê-la, com harmonias e arranjos já implantados em nosso inconsciente coletivo. Assim, nos possibilitou uma conexão real com aquela música. Caso contrário, poderia soar como cantos étnicos sem ressonância genuína em nós. Então, por meio dela, uma nova dimensão se criou, na qual finalmente podemos vivenciar mitos, profundidades, diferenças e semelhanças. Entender no âmago que o fluxo em nossa veia cultural é feito dessa herança maravilhosa da mistura de negros, brancos e índios.

Com Marlui meus olhos, naquela noite, encheram-se de água, um tipo de emoção diferente, vinda de uma língua que meu intelecto não alcançava, mas que meu coração agradecia.

naná vasconcelos

Se você perguntar a pessoas interessadas em percussão no mundo se conhecem Juvenal de Holanda Vasconcelos a resposta será provavelmente negativa, mas se perguntar por seu codinome, Naná Vasconcelos, essas pessoas abrirão um sorriso largo e retribuirão com outra pergunta: "Um dos maiores percussionistas do mundo?" Sim! E ele é brasileiro!

Em 1944, Recife viu nascer o pequeno que receberia de Deus sementes especiais para germinar pássaros, ventos que levam barcos, nascentes de rios, árvores frondosas com mistérios milenares e curiosidade imensa.

Naná veio para trazer o som da floresta e tantos outros para os palcos da vida. Com mais de 30 CDs em seu nome, ele é um dos percussionistas mais admirados e requisitados de todos os tempos. Seu talento já foi irradiado por muitos cantos do planeta e por onde andou brotaram admiradores. Como frutos de seu plantio, trabalhou ao lado de músicos tão variados quanto Milton Nascimento, Zeca Baleiro, Don Cherry e Colin Walcott (com quem, em trio, formou o histórico Codona), Jean-Luc Ponty, David Byrne, entre tantos outros.

Como educador, Naná participou de projetos levando sua arte a crianças do mundo todo (ABC Musical), assim como a adultos (Workshop Orgânico). Durante quinze anos foi o responsável por abrir o Carnaval do Recife, acompanhado pelo cortejo de nações de maracatu. Fato que pode parecer singelo, mas na verdade foi através desse seu comando que passou a haver comunhão entre todos os batuqueiros, que até então eram grupos rivais. No aniversário de 50 anos de Brasília criou o projeto Língua Mãe, unindo Europa, América do Sul e África. Nesse programa, levou 120 crianças desses três continentes para se apresentarem com a Orquestra Sinfônica do Teatro Nacional Cláudio Santoro. Sob sua batuta, ao lado do maestro Gil Jardim, fizeram da experiência algo magistral.

Quando Naná fala, encontramos outro tempo. Suas pausas nos fazem adentrar um mundo paralelo, onde não há turbulências urbanas. Ele talvez seja um dos únicos que faça do silêncio elemento fundamental de sua música. E, acreditem, não é fácil encontrar calmaria em percussionistas. Por isso e por tantas outras ele é, e sempre será, nosso grande mestre. Quando abraça seu berimbau, o instrumento se enverga para reverenciá-lo. Juntos se transformam em uma só entidade. Tanto que em 1980 gravou o disco SAUDADES, com um surpreendente *Concerto para Berimbau e Orquestra*. Com ele o berimbau passou a ser conhecido fora do circuito de capoeiristas no Brasil e subverteu muitas rodas internacionais de jazz.

No palco, Naná usa seus timbres diversos, um pedal para ecoar notas e voz. Com apenas isso, fascina. Conduz um espetáculo daqueles inesquecíveis. Um de seus trabalhos de que mais gosto é o CONTANDO ESTÓRIAS (1994): uma verdadeira obra-prima que mistura sons orquestrais, cantos de vendedores ambulantes e suas mágicas percussões. Outro é o antológico DANÇA DAS CABEÇAS, ao lado de Egberto Gismonti.

No meio de tantos projetos em que Naná se envolveu na vida, você vai me encontrar. Em 2004, ele participou do meu VERDE. Que experiência! Chegou ao estúdio, ouviu as músicas pela primeira vez, abriu caixas de pandora gigantes e delas tirou, um a um, instrumentos que vestiram perfeitamente minhas interpretações. Em algum momento o diretor musical Rodolfo Stroeter pediu para improvisarmos e foi assim que a enigmática *Selvajelança* nasceu. Ele jogava um pio, eu respondia assobio e nos infiltramos pelas florestas.

Em outro momento que tive o privilégio de sentir sua magia, tínhamos sido convidados para compor a trilha do documentário da brasileira Denise Zmekhol, *Crianças da Amazônia* (2008), e ele me dirigiu para criarmos um momento que transporia para a música a alegria dos curumins de aldeias indígenas.

Nosso último encontro coincidiu com o último show que ele fez na capital paulista, antes de sua morte, em 2016. Quando penso nisso me arrepio toda. Eram duas apresentações dentro da série ENCONTROS INSTRUMENTAIS, no Sesc Pompeia. Sábado e domingo. Convidei meu amigo Edgar Duprat para registrar o encontro em vídeo, pois esta seria a única vez que faríamos um show inteiro juntos. Queria que fosse no domingo para estarmos mais afiados. Todavia, Edgar só poderia no sábado e assim foi. Algumas lágrimas rolaram, em mim e na plateia, que pôde presenciar uma noite mágica. Mesmo. Então, quando estávamos preparados para o show de domingo, algo inusitado aconteceu: acabou a energia elétrica do teatro e o show foi cancelado, mesmo com todo o público já presente. Estávamos ainda aguardando uma nova data para repormos o encontro interrompido quando meu celular tocou. Engasguei. Naná, porém, vai sempre vibrar, bem vivo, dentro de mim.

ANV/DNV: Antes de Naná Vasconcelos e Depois de Naná Vasconcelos. Um tipo novo de DNA, desses eternos.

ney matogrosso

Ney Matogrosso nasceu, e a música brasileira não tinha ideia de que por trás daquele menino introspectivo adormecia um vórtice.

Quando a cortina abre, o que presenciamos em cena não é somente o Ney de Souza Pereira, nascido na pacata Bela Vista, no interior de Mato Grosso do Sul, mas a alma de um dos artistas mais incríveis e completos que já tivemos. Ney é único e certamente o espírito que o escolheu para encarnar sabia que encontraria ali ingredientes perfeitos e bem temperados para criar uma receita inovadora, picante, de sabores intensos e coloridos.

Para ser bem sincera, apesar de desconfiar que ele tenha um ritual para se metamorfosear em Ney Matogrosso com suas maquiagens e figurinos, acho que é o teatro todo que se converte para recebê-lo. Como se o camarim virasse um entendido em eletrostática abraçando suas cargas elétricas em repouso, antes da transformação, e o palco em eletrodinâmica, observando o comportamento dessas mesmas cargas elétricas com ele em movimento. Ou seja, Ney e o teatro entram em comunhão a serviço das ciências naturais e das leis da física, quando o magnetismo e a eletricidade acontecem.

Fora do palco, ele gosta de estar consigo mesmo e se preserva. Passou a infância praticamente descobrindo-se em silêncio. Cercado de Natureza por todos os lados e crescendo dono de uma ilha particular, ele abriga seres que afloram quando nada até o palco. Afinal encontrou o equilíbrio entre suas polaridades.

Nascido com tessitura vocal rara, de contratenor, canta com voz aguda afinadíssima, sensível e inconfundível. Ele não é um homem comum. No começo achavam estranha, mas foi essa voz que o levou a ser convidado para integrar o histórico Secos & Molhados, no início dos anos 1970. Em plena ditadura, o grupo e suas transgressões funcionaram como uma válvula de escape para a sede de expressão de todo o povo brasileiro.

Mas ele tinha suas próprias vontades, e eram outras. No fim das contas, tinha sido ele o responsável por levar até a cena do grupo os rostos maquiados, a sensualidade, a fantasia e a atitude, personificando nossas matas, índios, seres mágicos e encantados. (Interessante observar que a banda norte-americana Kiss nasceu na mesma época. Seriam da mesma família de encarnados?) Enfim, Ney saiu do grupo e se infiltrou pelo universo de suas ímpares criações artísticas, com as quais continuou a explorar as possibilidades que alimentavam sua alma hippie. Sinônimo: liberdade.

Em determinado momento, começou a ser convidado para levar a outros espetáculos seus dotes de diretor e iluminador cênico, por saber conduzir de forma intuitiva o "eu" de cada um, definindo cores, recortando imagens, usando o escuro, o ponto de luz, o foco. Em outras vezes chegou às telas como ator autodidata, por exemplo quando foi convidado para protagonizar *Luz nas Trevas – A Volta do Bandido da Luz Vermelha*, de Helena Ignez (2010).

Analisando sua obra, podemos observar que ele precisa dos momentos mais contidos e dos mais expoentes para equilibrar-se. Como se fosse um mestre a comandar as ondas do mar que rodeia sua ilha. Ora usando vestimenta mais comportada (na medida do seu possível), ora extrapolando em cores e formas.

Dono de um corpo e uma vitalidade de dar inveja, vive nos instigando e inspirando. Sem pressa, construiu uma das trajetórias mais fascinantes entre as personagens que compõem nosso legado popular. Em uma única situação ele veio me assistir. Trocamos e-mails e de vez em quando nos comunicamos. Não tenho coragem de perturbar sua quietude. Sento-me, portanto, no escuro do teatro em silêncio e o admiro. Minha alma agradece.

paulinho moska

A zoeira de um Moska assim só podia dar em *Zoombido*, consagrando Paulinho como o idealizador de um dos melhores e mais interessantes programas musicais da nossa TV contemporânea. *Zoombido* é exibido pelo Canal Brasil mensalmente e por ele já passou a nata dos compositores brasileiros. Todos falando sobre seus processos criativos.

São muitos talentos que o Moska abraça. Em sua maturidade, ele consegue zumbi-los todos. Começou a tocar violão aos treze anos, mas quando começou a levar a coisa a sério foi fisgado pelo teatro. Em algum momento participou do grupo vocal de sugestivo nome Garganta Profunda: irreverentes, teatrais. Mais tarde, fundou o grupo Inimigos do Rei: irreverentes, humorísticos, compondo músicas com duplo sentido, teatrais.

O teatro realmente corre em suas veias. Foi parar no cinema. Contracenou com Murilo Benício em *O homem do ano*, flertando até com prêmios internacionais, mas foi cantando no filme estrelado por Penélope Cruz, *Sabor da Paixão*, que fui cativada.

Vou contar: eu não o conhecia muito bem, até que em uma de minhas idas a Nova York visitei o grande casal de amigos multiculturais Christian e Gigi. Christian nasceu na França e é um grande estudioso da música brasileira. Gigi é colombiana, mas nasceu na Bélgica, e é uma artista plástica fenomenal. Nesse encontro, Christian me perguntou se eu conhecia o cantor brasileiro que ele conhecera na trilha de um filme e que tinha se tornado seu preferido, no meio de todos os outros que ele já conhecia – e olha que não eram poucos. No entanto, quando procurou informações sobre ele não encontrou, e por isso sua curiosidade em saber se eu o conhecia. Disse o nome, mas eu nunca tinha ouvido falar. Colocou para eu ouvir. A voz era aveludada, o violão malandro de bom, o suingue totalmente abrasileirado, mas com uma sutileza jazzística na medida certa.

Fui descobrir, portanto, que o casal melting-pot fora atraído pelo nosso querido músico, melting-pot por si, com um pé no pop, outro no rock; um na filosofia, outro na malandragem. Apaixonei-me.

Certo dia fui zoombir com ele. Ao final de cada programa, como de costume, por entre ângulos e cliques apurados por seu olhar, Paulinho desenrola um som com o convidado. Fizemos minha *Você não entendeu nada*. Ele com uma destreza imediata e com uma aproximação tranquila ao improviso, saiu tocando como se fôssemos musicalmente íntimos. Emocionei-me com seu talento e generosidade.

Paulinho Moska é isso tudo e muito mais. Hoje caminha ao lado dos artistas mais representativos da América Latina, como Jorge Drexler e Fito Paez, e assim participa da nova onda musical latina que emerge como uma nova manhã. Ele não se cansa deste acordar repetido no tempo presente e compartilha: "Vamos começar colocando um ponto final, pelo menos já é um sinal de que tudo na vida tem fim. Vamos acordar, hoje tem um Sol diferente no céu, gargalhando no seu carrossel, gritando 'nada é tão triste assim'. Tudo novo de novo. Vamos nos jogar onde já caímos. Vamos mergulhar do alto onde subimos". Com Moska reconstruímos o ato da meditação dia a dia. Tudo novo de novo, sempre. E viva la vida!

PianOrquestra

PianOrquestra nasceu da mente criativa do conceituado pianista carioca Claudio Dauelsberg. Vindo da escola clássica, ele entrou em contato com o que o músico norte-americano John Cage, na década de 1940, popularizou: o tal do piano preparado. Um universo completamente livre, em que objetos mais do que diversos (palhetas de violão, sandálias de borracha, peças de metal, madeira, tecidos etc.) interferem no timbre natural do piano, transformando-o em muitos outros instrumentos.

Na realidade, nas mãos do PianOrquestra, quando o piano abre seu tampo para essas experimentações é transformado em um verdadeiro caldeirão de bruxas, onde as fadas Marina Spoladore, Anne Amberget, Priscila Azevedo e Masako Tanaka se encontram com o mago Claudio Dauelsberg para o encantamento acontecer. Dez mãos, cinco cabeças, um instrumento, um só coração.

Abrem-se as cortinas. O piano já ao centro, literalmente preparado, convida os feiticeiros a entrar para, com suas invisíveis varinhas de condão, fazerem o inesperado acontecer. A iluminação do teatro acende a brasa na qual o caldeirão se apoia e a primeira magia surge: o próprio piano se transforma em cartola, e os músicos em mágicos que, aos poucos, começam a extrair dali de dentro sons de caixinha de música, cavaquinho, ganzá, tamborim, cravo, contrabaixo, cuíca, rabeca, cello. E, claro, um coelho saltitante de vez em quando.

Assisti-los atuar é testemunhar a capacidade inventiva do ser humano. Uma liberdade criativa, inusitada, divertida. Um verdadeiro balé sincronizado, sincopado, ritmado, pausado, ousado... Sem desperdiçar nem um segundo de competência e lirismo.

Ora a percussionista entra por debaixo do piano fazendo um bumbo cadenciado, enquanto pianistas se revezam com linhas coloridas compridas nas mãos, arrastando-as de lá para cá, daqui para lá e, enquanto friccionam a corda do piano, tiram dele um som de arco orquestral. Ora temos pianistas convencionais reinventando harmonias pelas teclas brancas e pretas, enquanto outros pianistas nada ortodoxos jogam objetos dentro do piano aberto, como se fossem mais ingredientes para a tal poção mágica.

O resultado da receita é um prazer inebriado. Todos ficamos entorpecidos com a mistura de uma invenção que veio do universo da música experimental clássica amalgamada à tradicional música brasileira, composta por cirandas, cocos, repentes, pagodes, maracatus. O cancioneiro brasileiro revisitado magistralmente de forma sensível e lúdica.

A novidade do grupo não é, então, a preparação do instrumento, mas tratá-lo como orquestra e trazê-lo para a música popular instrumental e contemporânea, arranjando uma forma de unir tradições, quebrar barreiras de tempo e aperfeiçoar o inesperado.

No palco não vimos somente músicos, nem tampouco somente música. São artistas, bailarinos, atores, tudo em uma dinâmica maravilhosamente linda e tocante. Um real prazer estético.

Em 2015, tive o privilégio de subir no palco do Festival Assad – idealizado e produzido por Fafá e Vânia Noronha, com estreia em 2012 em São João da Boa Vista (SP), para homenagear a minha família – como convidada do PianOrquestra. Como que embriagada por suas varinhas fascinantes, girei ao redor do piano sussurrando *Pontas de Areia*, de Milton Nascimento e Fernando Brant, e aprendendo a redefinir, com eles, uma mistura de nostalgia, que já me era conhecida, com pitadas de gnomos.

O PianOrquestra já seduziu públicos dos mais consagrados palcos brasileiros e internacionais, mas é cria nossa. Honra!

seu jorge

Quem é Jorge Mário da Silva? Provavelmente seus amigos de infância poderiam dizer que foi o cara que conseguiu "dar certo na vida". Sim, com certeza Seu Jorge (apelido dado pelo amigo e baterista Marcelo Yuka) deu certo na vida. Um daqueles casos em que a pincelada divina se apresentou um pouco caótica no princípio mas que, no aprimoramento pessoal do indivíduo, desdobrou-se em aquarela extraordinária.

Seu Jorge nasceu em Belford Roxo (Rio de Janeiro), conheceu na pele as injustiças sociais das favelas, experimentou no estômago os preconceitos idiotas, viveu pelas ruas, dormindo sobre concretos e se cobrindo com estrelas.

Por entre chuvas e sóis escaldantes, a arte aflorou-se pelos caminhos da percepção e mudou os rumos de sua vida. Pronto, a pincelada divina encontrou papel especial e fez-se colorida.

Descoberto pelo clarinetista e incrível Paulo Moura, fez um teste para um musical e daí nunca mais parou. Logo depois integrou a banda Farofa Carioca e com eles gravou seu primeiro disco MORO NO BRASIL, que de cara foi lançado aqui, Portugal e Japão. Ninguém mais seguraria Seu Jorge e seu *Cidade de Deus*, filme em que estreou como ator, em 2002, no papel de Mané Galinha, ganhando reconhecimento internacional.

Nesse momento, eu já viajava por esse mundo e certa vez, na França, soube que aquele ator que também cantava estava hospedado no mesmo hotel que eu. E mais: descobri que participaríamos do mesmo festival. Não o conhecia na época, mas ele foi muito gentil e, para minha alegria, deu uma canja no meu show. No retorno a Paris, viajamos no mesmo trem e entramos, na verdade, em uma viagem de amizade que perdura até hoje.

Inclusive, foi no apartamento dele em Paris que ouvi pela primeira vez *Vacilão*, música de Zé Roberto, conhecida na voz de

Zeca Pagodinho. Quando fui gravar meu WONDERLAND o convidei e ele aceitou sem restrições cantar minha invenção (junto com meu irmão Sérgio) de um estilo no qual misturamos pagode com blues, apelidado de pagoblues. Nosso *Vacilão* virou hit.

Participei de alguns shows dele e vice-versa. Dono de uma voz de timbre único, ator competente e de um carisma irresistível, toca vários instrumentos e é um compositor de colher cheia. Além de ser um homem belíssimo, ter uma mente brilhante e ser muito sensível e generoso.

Lembro-me de que, em um de nossos encontros e enquanto conversávamos sobre preferências, contei ser Elza Soares uma de minhas cantoras favoritas, que seu disco mais amado por mim era DO CÓCCIX ATÉ O PESCOÇO e que minha música preferida daquele disco era *A Carne*, e então ele mais uma vez me surpreendeu: "Essa música é minha, Badi". Eu já o admirava bem antes de saber que ele existia!

Jorge gravou discos ótimos. Com sua mente inquietante, sonhos infinitos e disposição incrível, se fez presente em escala mundial. Reconhecido e elogiado pelos quatro cantos do planeta, hoje divide moradia entre Los Angeles e São Paulo. Na Califórnia, sua empresária, Mariana, mãe de suas filhas Flor de Maria e Luz Bella, testemunha um pai presente, apesar das distâncias. Ele sabe o valor do cuidado, do amor, da responsabilidade e do carinho.

Outra experiência que nos une em vida é nosso amor pela música livre. Uma de suas principais influências é o jazzista John Abercrombie, com quem tive o privilégio de gravar o THREE GUITARS, juntamente com outra fera do jazz, Larry Coryell. Bem recentemente, enviei para ele o e-mail do John. E podem ter certeza que essa união será uma mistura da música livre com a música negra e, obviamente, vai dar samba. E dos bons!

toquinho

"Numa folha qualquer eu desenho um Sol amarelo e com cinco ou seis retas é fácil fazer um castelo..." Impossível contabilizar quantas vezes ouvi e cantei *Aquarela* quando entrava na adolescência. Assim como é impossível cotizar o quanto ela foi importante para minha adaptação em São João da Boa Vista, quando meus pais decidiram deixar o Rio de Janeiro, lugar onde passei toda a infância, e retornar para nossa terra natal no interior de São Paulo. Lembro-me de chorar durante todas as oito horas de viagem que me ligavam de um lugar conhecido para um completamente distante e amedrontador. Afinal, eu deixava para trás amigos, irmãos, meu quarto, nossa casa, minha infância... "Corro o lápis em torno da mão e me dou uma luva, e se faço chover com dois riscos tenho um guarda-chuva." A simplicidade daquela canção me inspirava a abrir o coração jovem para o singelo e a criatividade natural. Recordo-me de caminhar em sentido à nova escola cantarolando-a enquanto aprendia a admirar a beleza do nascer do Sol por trás das casas.

Foi preciso quase duas décadas para que eu tivesse o privilégio de conhecer pessoalmente o dono daquela voz, daquele violão e daquela canção tão próxima a mim, mas aconteceu. A primeira vez que me encontrei com ele foi no Espaço Araguari, uma casa de eventos em São Paulo, no final dos anos 1990. Ele estava sentado bem em frente ao palco e assim pude ver suas reações positivas durante toda a noite. Ao final, chegou com sorriso largo para me cumprimentar. Toda emocionada, nos abraçamos. Pouco tempo depois chegava o primeiro de muitos convites para participar de shows dele e foram diversos, no Brasil e no exterior. Viramos amigos. Alegria.

Uma dessas apresentações, aliás, se imortalizou em minha trajetória pessoal. Desde sempre e em todos os espetáculos, além de cantarmos juntos, Toquinho deixa o palco em um gesto generoso, para que eu possa sozinha compartilhar minha arte com seu público.

No primeiro show de nossa história em comum toquei duas músicas. A primeira, a pedido dele, foi *Ponta de Areia*, de Milton Nascimento e Fernando Brant, e a segunda, *Vrap*, um experimentalismo criado por mim em cima de uma composição de Marcos Ferreira, na qual toco violão, batuco nele como se fosse percussão, canto e faço sons percussivos com a voz, tudo simultaneamente.

No segundo show (acontecido no antigo Palace, em São Paulo), depois da passagem de som, Toquinho chegou para mim gentilmente e com muita elegância me disse que aquela música experimental era um pouco demasiada para seu público absorver em tão pouco tempo. Me sugeriu fazer algo mais tradicional. Faltava menos de uma hora para o show. Confesso: paralisei um tanto. O que fazer? Eu queria de alguma forma mostrar o estilo que tinha levado minha carreira para o exterior! Não podia perder a oportunidade de, pela primeira vez, tocar para um público tão amplo no Brasil.

No silêncio do camarim pensei, toquei, refleti, misturei, enxuguei, tremi e em meia hora inventei uma introdução para a bela canção que tinha decidido cantar, de Vital Farias, *Ai que saudade d'ocê*. Essa introdução, uma variação sobre *Asa Branca*, de Luiz Gonzaga e Humberto Teixeira, acabou virando hino em meus shows pelo mundo afora. Eu tinha conseguido sintetizar muito naturalmente todos aqueles mesmos elementos: manter a polirritmia e a independência das mãos, fazer percussão vocal e cantar, tudo junto. Meu maior hit... E nasceu ali, da ponderação delicada do Toquinho.

Também agradeço pela oportunidade de ter excursionado pelos melhores e mais lindos teatros da Itália ao seu lado em 2010. Impressionante testemunhar o calor com que é recebido e o quanto todos por lá amam suas músicas. Toquinho na Itália é rei. Minha filha estava com apenas três anos e aquela era uma das primeiras viagens que eu fazia sem levá-la debaixo das asas. Matando a saudade pelo Skype, Sofia recebeu naturalmente Toquinho cantando para ela: "Era uma casa muito engraçada, não tinha teto, não tinha nada". Ela não tinha noção daquela regalia, adotando-o como um tio próximo.

Toquinho começou a estudar violão coincidentemente com a mesma idade que eu, aos catorze anos. Mas enquanto me dediquei ao universo das partituras (no início de minha carreira) ele embrenhou-se pelo da harmonia e foi, aos poucos, transformando-se em um violonista almejado. Sempre sabendo aproveitar as oportunidades que apareceram, se fez ouvido, em 1969, por Vinícius de Moraes, que encontrou nele, ainda jovem (23 anos), parceiro perfeito para 120 canções – verdadeiras pérolas do nosso cancioneiro.

Além dessa parceria, houve muitas outras, como *Que Maravilha* (Jorge Benjor), *Samba de Orly* (Chico Buarque e Vinícius), *A bicicleta* (Mutinho), *Caso Encerrado* (Paulinho da Viola), entre outras.

Em nossa convivência pude aprender muito sobre ele e sua arte de viver. Porém, há situações que sempre se destacaram em meu universo afetivo: já na primeira vez que ensaiamos notei que em nenhum momento ele deixou de dedilhar seu violão, mesmo enquanto conversávamos sobre outros assuntos. Aprendi, assim, que por trás de toda sua coleção de sucessos existe uma fome musical alimentada por doses diárias de improvisação instrumental num deleite próprio. Ele não ostenta nenhum estrelato e se dispõe à vida com naturalidade. Porém, algo ainda mais destacável: todas as noites ele recebia um telefonema especial e, seja lá onde estivesse, respondia. Dona Diva, sua mãe já idosa, queria saber como tinha sido seu dia e dar-lhe boa-noite. Ele conversava com paciência e amor. Uma beleza transparente que se mantém viva em sua relação com o mundo. Nascido Antônio Pecci Filho, certamente foi criado com muito afeto. Sua mãe, quando ainda menino, carinhosamente o apelidou de "toquinho de gente" e assim despretensiosamente cresceu.

Certa vez minha filha ganhou de presente um livro maravilhoso do americano Shel Silverstein, *A Árvore Generosa*, que para mim ilustra, despretenciosamente, a alma de Toquinho. A história é sobre um menino que tem como melhor amigo uma frondosa árvore, com a qual diariamente interage brincando, comendo seus frutos e curtindo sua sombra. Conforme o menino vai crescendo, todavia, suas necessidades vão sendo remediadas pelo amor que a árvore sente por ele. Primeiro, são extraídos seus frutos para que o menino possa vender e obter dinheiro para outras diversões, depois se vale de seus galhos para que possa se casar e levantar uma casa, e finalmente usa seu tronco para a construção de um barco no qual ele velejaria pelo mundo. Já velho, o menino retorna mais uma vez à arvore, mas esta, entristecida, diz-lhe não ter, infelizmente, nada mais a oferecer. Mas ele nada mais quer além de um lugar para descansar. A árvore então se enche de felicidade e oferece-lhe o que a ela restou, um pequeno toco, para que ele possa se sentar e descansar.

Essa história proporciona muitos níveis de reflexão, mas sua generosidade é com certeza encontrada na alma do nosso cantor. Pois Toquinho a exala da forma mais natural possível. "Basta imaginar e ele está partindo, sereno, indo, e se a gente quiser ele vai pousar..."

uakti

Uakti a gente não vê ou ouve, a gente experimenta. Não dá para ficar indiferente. Lembro-me de sentar no escuro do teatro e pensar: o que é isso? Eles não faziam música, faziam mistério. Virei uma espécie de seguidora apaixonada. Aqueles quatro ilusionistas envergavam aqueles instrumentos como se fossem cartolas e suas músicas eram as mágicas que me encantavam. Só podia ser!

Quando Milton Nascimento os descobriu, também foi enfeitiçado e os levou para o estúdio para gravar SENTINELA. Logo depois os trazia ao palco para a primeira aparição em público, no museu da Pampulha em Belo Horizonte. A partir de então, Uakti começou a ser ouvido por muitos. Ainda em Minas, o Grupo Corpo dançou suas composições e sonoridades únicas e foi para eles que a obra-prima I CHING foi composta. Já explico do que se trata, mas antes preciso contar quem são.

Grupo de música instrumental, formado pelas percussões de Paulo Santos e Décio Ramos, sopros de Artur Ribeiro e pela genialidade do músico - luthier - compositor Marco Antônio Guimarães. O nome Uakti vem de uma lenda indígena na qual um ser mitológico de corpo perfurado emitia sons quando o vento cruzava seus furos, encantando as mulheres. Os homens, não suportando tal ousadia, o mataram. No lugar onde foi enterrado nasceu uma palmeira cujos frutos, nas mãos dos índios, viraram flautas que traziam os mesmos poderes encantadores do ser original. Eu não falei? Tinha mesmo algo de enfeitiçador na origem deles.

Uakti não toca qualquer flauta ou percussão, eles tocam as flautas e as percussões que o Marco constrói, e o Marco não constrói qualquer instrumento, ele constrói instrumento com qualquer coisa que ele queira. Nuance que faz toda a diferença. Não sei ao certo quantos ele já inventou, mas dentre eles tem os Pans (feitos com tubos de PVC, um deles, o Grande Pan, ficou famoso com o norte-americano

The Blue Man Group), o Ian (feito com campainhas, acionadas por corrente elétrica) e o Aqualung (sons emitidos por vibração da água).

Quando tive o luxo de fazer um show acompanhada pelo diretor-baterista do The Blue Man Group, Jeff Quay, em Chicago (2007), contei para ele sobre a origem do grupo por trás do Grande Pan e ele, mesmo distante, também foi enfeitiçado. Em 1989, o cantor Paul Simon os convidou para participar do álbum THE RHYTHMS OF THE SAINTS. Sugestivo, não? Nesta mesma época foram descobertos pelo compositor Philip Glass, que os achou perfeitos para seu minimalismo urbano. Gravaram cinco CDs juntos e viajaram o mundo.

Agora imagina a criatividade: o I Ching, também conhecido como livro das mutações, é o mais antigo oráculo e um dos maiores legados do povo chinês. O Marco inventou uma forma de lê-lo musicalmente. Muito para explicar? Tentarei resumir.

O I Ching é uma espécie de livro da sabedoria, com 64 hexagramas, cada um com significado próprio. Hexagramas são símbolos compostos por seis linhas sobrepostas, que podem ser inteiras ou cortadas ao meio, representando *yin* e *yang*. Esses 64 hexagramas podem também ser considerados combinações de oito trigramas (três linhas) básicos. Se for usá-lo como um oráculo, você formula uma pergunta e lança moedas para a obtenção de respostas. São três moedas com seus lados considerados *yin* e *yang* também. Quando elas caem, formam então combinações diferentes (no total quatro, devido às somas tabelizadas). Cada jogada de moeda forma uma linha – como são seis jogadas, obtemos um hexagrama. Então você procura este hexagrama no livro e a resposta para sua pergunta estará lá.

Eu sei, muito difícil de entender tão resumido assim e nem sei se consegui dar sentido à minha escrita. Porém, se você ficou curioso pelo assunto, existem vários sites e livros nos quais é possível encontrar mais informações. Mas o que eu quero dizer aqui é que para cada um desses trigramas (que podem ser constituídos por linhas inteiras ou cortadas ao meio) Marco compôs uma canção transformando essa matemática em leitura musical rítmica. O resultado são temas naturalmente induzidos pela natureza de cada um dos oito trigramas: céu, terra, trovão, água, montanha, vento, fogo e lago.

Ele também compôs músicas dedicadas a alguns hexagramas como *Além da Dança dos Hexagramas* e *Ponto de Mutação*.

Não me segurei e embarquei, com destino à oficina do Uakti, em Belo Horizonte. Era dentro da casa onde moravam, ou algo assim. Não me lembro com detalhes porque estava muito emocionada de estar ali. Ao chegar deparei-me com a mesma toalha de mesa que eles usaram no show que eu tinha visto! Aquela que se transformou em partitura quando a jogaram no chão e circularam ao redor, transformando cerejas em notas, folhas em escalas e rendas em ritmos. *Toalha de Cerejas* é o nome da música e pirou minha cabeça. E eu tomei um cafezinho com queijo mineiro em cima dela! Depois Marco me levou para ver todos os seus instrumentos mágicos. Fiquei zonza de tanta criatividade. Porém, o mais inusitado aconteceu no final do tour pela oficina. Ele me deu uma caixa de presente com objetos de sua pesquisa pessoal que se eu usasse no violão transformariam seu som natural. Eram baquetas, pedaços de perfex, espumas, massas, linguetas metálicas, ventilador... Voltei para casa com uma verdadeira caixa de pandora. Dali saíram duas músicas: *The Being Between* (onde coloco uma baqueta debaixo das cordas do violão aproximando seu timbre de um instrumento japonês chamado koto) e a releitura de *Carta a L'Exile*, música catalã – na qual misturei perfex, baqueta e ventilador. Ufa! Pandora voou.

Papo muito cabeça? Não se incomode. Quando tiver a oportunidade de ouvir I CHING, do Uakti, pare, conecte-se com um oráculo imaginário e deixe-se levar pelos mistérios por onde o som vai levar você. Talvez não encontre resposta para perguntas pela audição, mas com certeza terá seus canais de percepção aguçados por ventos soprando através de seres crivados de magia e beleza.

yamandu costa

Saí para jantar com meu amigo Solon Siminovich. Ele, que é judeu-gaúcho, trouxe a tiracolo um jovem de Passo Fundo. Recém-chegado a São Paulo, o rapaz tentava equilibrar o *hashi* entre os dedos, nessa primeira vez que sentava em um restaurante japonês. Lembro-me de quanto reclamou. Mal sabia eu o quanto aqueles dedos sabiam o equilíbrio de cordas que me eram tão próximas.

Solon me disse que eu precisava ver o moleque tocar. Dias depois fui, na choperia do Sesc Pompeia. Ele como convidado do baiano Armandinho. Meu queixo caiu, tive que pegá-lo algumas vezes e recolocá-lo no lugar. Se precisasse defini-lo em uma palavra, diria furacão!

Estou falando de Yamandu, na época ainda Diamandu Costa. Quem era aquela metralhadora de notas? Fui saber mais. Era apenas o começo de sua trajetória, em breve, meteórica. Mas soube que ele começou a estudar violão com o pai Algacir Costa, aos sete aninhos, mas desde bebê viajava pelos bancos do ônibus com o qual o grupo regionalista Os Fronteiriços, liderado pelo pai e pela mãe, excursionava pelo sul do país.

Mal chegado a Sampa, ganhou o Prêmio Visa de Música e começou a chamar atenção. E como chamou! E começou a ser chamado, por todos. De Rafael Rabello e Hamilton de Holanda a Gilberto Gil e Carlinhos Brown. Ou seja, todos os estilos possíveis. E neles passeia com desenvoltura desconcertante. Nunca vi o Yamandu tocar a mesma música da mesma forma, do mesmo jeito, com os mesmos acordes ou com a mesma estrutura. Ele toca o violão como se este fosse conectado diretamente ao seu cérebro. Sinceramente, acho que é. Não há distinção entre o que ele sente e o que toca. Ele, quando toca, não pensa. Ele toca. Não inventa notas, é ele a própria invenção.

Yamandu é voraz, seu corpo se levanta da cadeira, ele joga o rosto para o lado, batuca com os pés. Suas cordas dedilhadas nos magnetizam. Entre uma música e outra, conta causos e nos faz rir. Ri de si mesmo. Brinca. Então, o redefino: Yamandu Costa, o furacão gaiteiro.

zeca Baleiro

O doce Zeca Baleiro, guloso e danado. Ironiza, protagoniza.

Zeca nasceu José de Ribamar, mas sua paixão pela doçura (do açúcar mesmo) o fez ganhar o apelido quando cursava a universidade. No início, seu Cavalo de Fogo (no horóscopo chinês, pois é nascido em 1966, assim como eu) deu uns pontapés na galera, mas logo percebeu que já tinha sido contaminado pelo efeito do "ser" doce. O blues (expressão americana que também é usada para o efeito cabisbaixo de quem consome açúcar demais) não surtiu efeito neste homem-moleque, roqueiro, animado, debochado. Ninguém melhor do que ele para cantar sobre o cotidiano da metrópole que adotou (e foi adotado), São Paulo, e seus desconfortos, individualismos, sentimentos ambíguos, esse nosso doce-amargo cotidiano na cidade grande.

Ainda na faculdade, chegou a abrir uma confeitaria, mas vejam só: "Despedi o meu patrão desde o meu primeiro emprego", cantou para si mesmo, quando foi abduzido integralmente pela música.

Companheiro de apartamento do amigo paraibano Chico César, na Rua Heitor Penteado, em Sampa, Zeca se isolava para compor, mas acredito ter sido na algazarra da sala que pérolas musicais saíram em pencas. Conheci Zeca nessa época, quando eu zanzava com Chico pra lá e pra cá, mas ele, aparentemente, se escondia em timidez e ficamos assim. Até muito recentemente, quando nos aproximamos e flertamos uma amizade sincera de possíveis parcerias e acordes harmoniosos.

Zeca usa uma linguagem tão popular que democratiza sem pudor: "As meninas dos jardins gostam de rap, gostam de happy end" (*As Meninas dos Jardins*). Seus trocadilhos, estribilhos e ideias são únicos e divertidos. "Vem que eu te espero para o chat das cinco" (*O Hacker*).

Baleiro nasceu no Maranhão e de lá trouxe referências folclóricas. Somou a isso profundo interesse pelas raízes brasileiras e pela música urbana, tornando-se um ícone de expressão na modernidade de sua época. De uma forma simples, concilia tradição com contemporaneidade, estruturas melódicas convencionais com programações eletrônicas. Em seu *Baile do Baleiro*, mistura Maria Alcina e Odair José com Bluebell, Luiz Ayrão e Zizi Possi. Uma verdadeira festa de estilos, todos comandados sob sua batuta, que oferece música para as pessoas se alegrarem. Assim é o Zeca. Seu baile acabou virando programa no Canal Brasil – estava na hora de o país inteiro se divertir.

Zeca Baleiro coleciona prêmios: três Sharp em 1998 (melhor música, melhor disco e revelação), duas indicações ao Grammy Latino (melhor álbum pop em 2000 e melhor album pop contemporâneo em 2003) e melhor cantor pela APCA (1998 e 2003).

Em 2011, lançou um livro de crônicas intitulado *Bala na Agulha* e, em 2014, o *A rede idiota e outros textos*, coletânea de seus escritos para a revista *Isto É* durante cinco anos de colunas mensais.

E haja coluna, pois ele não se aquieta. Com seus quase 2 milhões de seguidores no Facebook, parece ter rodinhas nos pés. Fôlego é o que não falta. Até lançamento dedicado às crianças com 28 canções, ZORÓ – BICHOS ESQUISITOS, que são a sua cara, teve.

"Zeca, vamos tomar um café semana que vem?" "Ô, nega, semana que vem não posso. Mas a gente ainda vai se esbarrar, nem que seja no cafezin do aeroporto!"

ZÉLIA DUNCAN

Eu estava morando nos Estados Unidos quando desenvolvi distonia focal e os dedos da minha mão esquerda pararam de respeitar comandos. Ao mesmo tempo, a mãe de meu namorado e produtor na época, Jeff Young, descobriu-se com câncer e acabou, não muito tempo depois, perdendo a árdua luta. Com esses acontecimentos, nossos corações almejaram calor e precisamos urgentemente resgatar o Sol em nossas vidas. Com pensamento fixo, nos despedimos do frio de Ohio e rumamos à paradisíaca Sarasota, na Flórida. A nova casa ficava num terreno do lado rural da cidade, com direito a dois cães, tartarugas num pequeno lago e um cavalo no grande quintal.

Enquanto eu fazia todas as terapias e mergulhava em minha própria cura, descobri um novo prazer que me alimentava: sair pela cidade descobrindo todas as suas curvas e delicadezas. No mar quente do golfo, eu me comunicava com as gaivotas, arraias e golfinhos, nas ruas-rio conversava com os peixes-boi, e nas galerias da cidade inventava conexões novas com antiguidades e apetrechos feitos à mão. A cidade virou minha amante.

No meio desse processo de cura, com fogueiras xamânicas no quintal e muita meditação, passava também algum tempo em frente ao computador, que era algo novo e não fazia ainda parte da minha rotina. Não sei ao certo como aconteceu, mas foi nesse ambiente que o diálogo com Zélia Duncan começou. Lembro-me sempre de retornar ao computador para ver se tinham chegado suas mensagens e respondê-las. Era um tipo de elixir, pois ela, sem saber, virara minha conexão com o Brasil e aquecia meu coração estrangeiro. Parte do sol que eu almejava era o da minha terra e era por meio dela que esses raios chegavam para me aquecer.

Muito generosa, naquela época ela já abraçava uma rotina intensa de shows para dar conta do sucesso, enquanto eu tirava anos sabáticos para poder um dia retornar. E, mesmo assim, ela parava para me dar ouvidos. Também não sei ao certo como nos aproximamos. Acho que por nossa amiga em comum, Lucina? Não sei, mas no momento não importa. Só saber que essa relação me trazia ânimos de vida, satisfaz.

Zélia nasceu carioca mas aos seis anos foi com a família para Brasília, onde estudou canto e piano. Começou a se apresentar aos dezessete, na ocasião em que venceu o concurso da Sala Funarte cantando "Água de beber, bica no quintal, sede de viver tudo" (*Fazenda*, de Milton Nascimento). E foi com essa sede que aos 22 anos voltou para sua terra natal. A capital brasileira para a música não era Brasília. ZELIA CRISTINA NO CAOS foi o resultado de seu mergulho de volta às raízes, depois de um encontro com a diretora Ticiana Studart, que tinha acabado de chegar de Nova York cheia de ideias irreverentes. Para elas o show era um tipo de desabafo, pois trazia como linha de pensamento "produzir é um caos, os espaços são um caos, a violência é um caos, o isolamento cultural é um caos".

Como na teoria do caos, toda e qualquer mudança no início de um evento pode trazer consequências. Alguém da gravadora Eldorado assistiu ao show e ofertou-lhe o primeiro contrato, que chegou como OUTRA LUZ, em 1990. A biografia de uma carreira brilhante continuava.

"No silêncio de uma catedral" Zélia descobriu "o templo dentro de si para ser imortal". Seu primeiro grande sucesso continuava trazendo o olhar de alguém que está comprometido com sua própria evolução. Depois vieram muitos outros discos, reconhecimentos de público e crítica (incluindo internacionais), canções, parcerias. Ela vendeu milhares de CDs, recebeu vários prêmios. Em 2017 foi protagonista do musical ALEGRIA, ALEGRIA, homenageando os 50 anos da Tropicália, e muito mais. Recentemente criamos algo juntas: *Vejo Você Aqui*, uma canção profunda e ao mesmo tempo leve, assim como ela.

Certa vez assisti, depois de já ter recuperado meus movimentos violonísticos e de volta ao Brasil, um show dela no Parque Ibirapuera, em São Paulo. No meio da multidão, um desentendimento entre alguns jovens começou. Nunca vi alguém lidar com o problema de uma forma tão elegante e inteligente quanto ela. Zélia parou de cantar e falou, os jovens ouviram, e o show continuou em paz.

Ela traz esse poder apaziguador na alma.

Alma!
Daqui do lado de fora
Nenhuma forma de trauma
Sobrevive!
Abra a sua válvula agora
A sua cápsula alma
Flutua na
Superfície!...

ZIZI POSSI

Eu ainda era menina quando ouvi a voz dela pela primeira vez. Isso porque ouvia Chico Buarque. Eu já sabia das coisas, não é mesmo? Entrava então aquele cristal lapidado, brilhante, rasgando o ar e me fazendo entender uma dor inimaginável para uma criança com menos de dez anos de idade. *Pedaço de mim* falava sobre "uma fisgada em um membro que já perdi", "o revés de um parto", "arrumar o quarto do filho que já morreu". Ufa! Mas eu entendia, porque o sentimento colocado naquela voz enquanto cantava me comovia e eu chorava.

Zizi Possi nasceu no bairro do Brás, reduto da colônia italiana em São Paulo. Apesar de o bairro abraçar muitas festividades populares, Zizi foi, quando criança, muito ligada à música erudita, e estudou canto e piano clássico. Quando completou dezessete anos se mudou com o irmão, o respeitado diretor teatral José Possi Neto, para a Bahia. Em Salvador estudou composição e regência na Universidade Federal da Bahia (UFBA). Porém, descobriu que não era somente esse curso que atendia suas ambições artísticas e se inscreveu no curso de teatro. Pouco tempo depois, o irmão fez as malas ao receber bolsa de trabalho para morar em Nova York. Zizi foi levá-lo ao aeroporto e despediu-se em lágrimas: "Quando vi o avião sumindo no ar, entendi que minha vida estava, a partir daquele momento, por minha conta. Senti uma solidão muito grande. Foi quando percebi que a Bahia já não fazia mais sentido para mim".

Que bom que ela fez aquele curso de teatro, pois acredito ter sido fundamental para incorporar nela a matéria-prima consciente sobre interpretação. Zizi é, sem sombra de dúvidas, uma das melhores cantoras-intérpretes de toda a história da MPB. E a despedida do irmão com certeza lhe rendeu algum estofo para gravar *Pedaço de mim*.

Zizi foi para o Rio de Janeiro onde, por muito tempo, sobreviveu como tradutora do italiano para o português. O Brasil ainda não a tinha descoberto, até quando algo inesperado aconteceu: Roberto

Menescal, produtor da Phillips na época, deixou uma mensagem em sua secretária eletrônica. A princípio ela achou que ele a convidaria para ser sua *backing vocal*, mas o contato na verdade era para propor-lhe o que viria a ser seu primeiro contrato com uma gravadora. Pouco tempo depois já recebia prêmio como cantora revelação pelo APCA (Associação Paulista dos Críticos de Arte). A partir daí vieram muitos outros, merecidamente.

Apesar disso, anos se passaram para que eu fosse ouvi-la novamente, dessa vez com seu segundo, porém massivo, sucesso nacional, *Asa Morena*, considerada uma das 100 canções mais populares do século XX! Desde então, sua voz serviu a vários momentos e muitos deles ligados à obra de Chico Buarque: O GRANDE CIRCO MÍSTICO, ÓPERA DO MALANDRO, CAMBAIO... Aquele mesmo, que eu ouvia quando menina!

No final dos anos 1980, Zizi lançou o que considera um dos melhores CDs de sua carreira: ESTREBUCHA BABY, trabalho que resultou no afastamento do padrão comercial radiofônico da época. Isso marcou uma ruptura com a gravadora e seus interesses leoninos. Lançou-se independente e afirmou uma nova estética musical, criando um divisor de águas em sua carreira. Nessa vida emancipada lançou os belíssimos SOBRE TODAS AS COISAS, VALSA BRASILEIRA e MAIS SIMPLES.

Me lembro de vê-la nos palcos do Sesc Pompeia (SP) envolta e sobre dunas de areia com alguns ventiladores soprando brisa em seus cabelos, que voavam docemente. Cenário criado pelo diretor-irmão José Possi. Uma verdadeira poesia estética.

Muitos outros projetos aconteceram, entre eles sua homenagem aos antepassados italianos em PER AMORE e PASSIONE, e a comemoração de 30 anos de carreira com os DVDs CANTOS E CONTOS volumes 1 e 2. Seis anos depois, 2016, como um bom vinho que melhora com o tempo, ela lançou O MAR ME LEVA. Sim, ela nos leva por mares embriagados, cheios de ondas que respingam em nosso rosto, trazendo ao mesmo tempo frescor e gotinhas de sal, que discretamente rolam pelo canto dos olhos. E assim, nesta jangada solta ao vento, se revela uma criatura híbrida como a representada na mitologia grega: com a voz de um pássaro e a delicadeza de uma mulher.

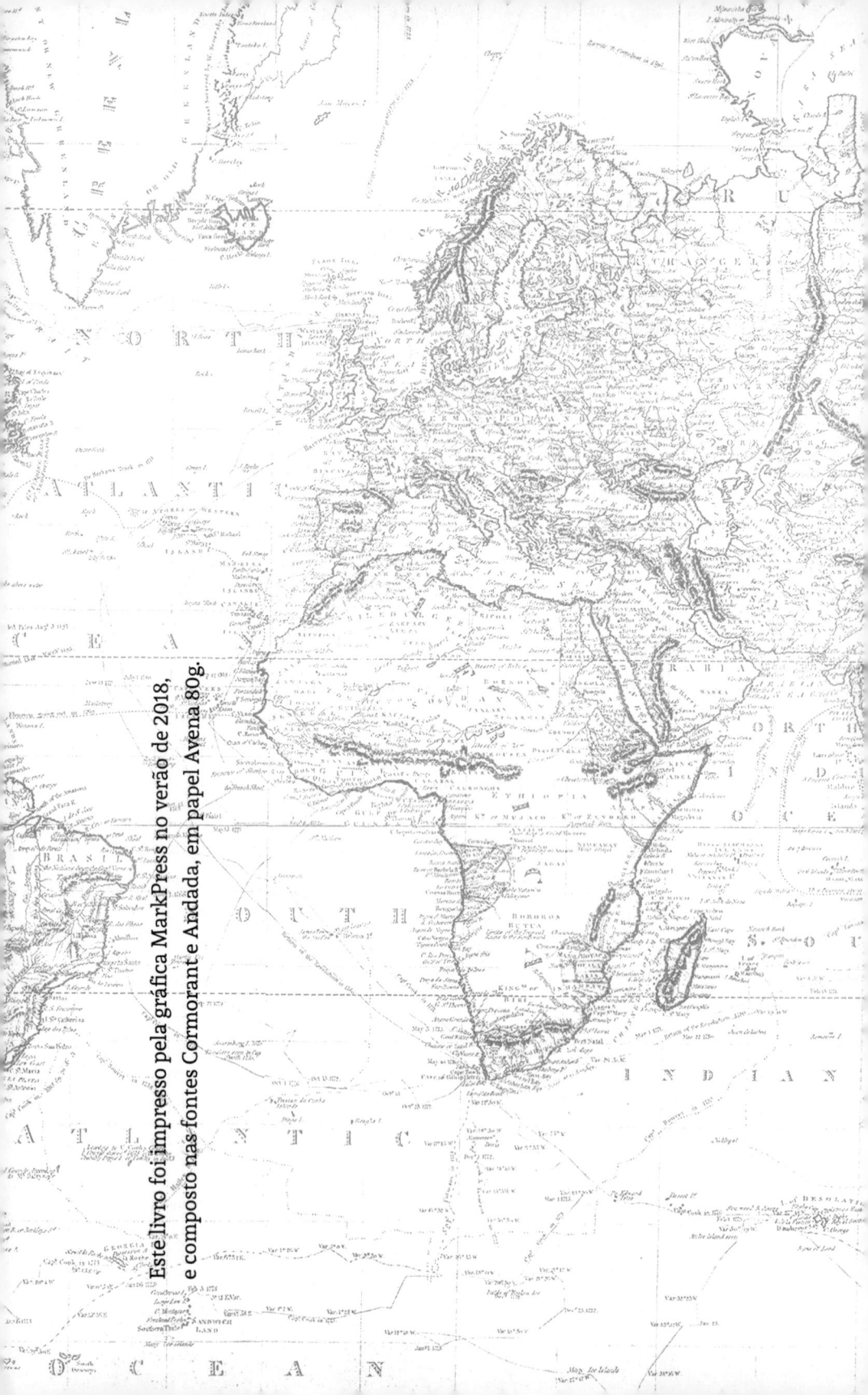

Este livro foi impresso pela gráfica MarkPress no verão de 2018, e composto nas fontes Cormorant e Andada, em papel Avena 80g.